グラム
「我が剣で皆を護ろう」
「これからも仲良くしていただければ」
エムブラ
「こうしてはっきりと言葉を交わすのは初めてですわね」
ベルソル
ブリュンヒルド
エイル
「ゴー君たちが、ついに進化しやがった」
「ふぉー!……」
セフィ
ユグ

啜れッ、ダーインスレイヴ！
ガーランド
まるで忽然と現れたかのように、
俺たちの視線の先に着地する。
彼は黒い剣身を持つ長剣を振り抜いた姿勢で、
深く深く膝を曲げ、
着地の衝撃を殺している。

第三十三話　進化第二弾

ついに2度目の進化の時が訪れた。

進化を拒否する理由は何もない。

なので、俺は表示された選択肢からさっそく『はい』を選択した。

『セフィ！　皆！　今から進化するからちょっと下がってくれ！』

そうして、広場に集まっている者たちにそう指示する。

里中の住民たちが集合して、広場は今、ちょっとしたお祭り騒ぎ状態になっているからだ。

進化して俺がどう変わるのかはまだ分からないが、いきなり巨大化する可能性も否定できない。

それに巻き込まれたら危険かもしれないからな。

「ふぉおお～！　ユグ！　進化するの!?」

「おやおや、それは、めでたいですのぅ」

「この前進化したばかりなのに、もう進化するんすか。はえー」

セフィ、長老、ウォルナットのみならず、住民たちは俺の本体を見上げてざわめき出す。

それぞれの言葉を拾ってみると、どうやら「進化」という現象を実際に目の当たりにする機会は少ないらしく、なんだか珍しいものが見られるという事でテンションが上がっているらしい。

注目されるのは嫌いじゃないが、今はそういう時じゃない。

『いやそういうの良いからマジでちょっと早く離れてっ！』

「は～い」

セフィたちがゆるく頷き、ぞろぞろと俺から距離を取る。

それでようやく俺は、視界の中央に表示される画面に意識を集中することができた。

そこにはいつぞやのように、幾つもの文字が流れている。


『進化が選択されました。

【種族】〈霊樹・マナトレント〉は【種族】〈霊樹・フェアリートレント〉へ特殊進化します。

【神性値】の保有を確認しました。

【神性値】「１００」を消費することで、特殊進化〈霊樹・フェアリートレント〉の位階上昇が可能です。


【称号】を確認しました。

特殊進化条件を満たしました。

【称号】『賢者』『精霊の友』の保有により〈樹精霊・エレメンタルワイズマン〉へ進化可能です。

【神性値】の保有を確認しました。

【神性値】「１００」を消費することで、特殊進化〈樹精霊・エレメンタルワイズマン〉の位階上昇が可能です。

【称号】を確認しました。

特殊進化条件を満たしました。

【称号】『ハイエルフの友』『エルフの里の守護霊樹』の保有により〈森霊《しんれい》・フォレストガーダー〉へ進化可能です。

【神性値】の保有を確認しました。

【神性値】「１００」を消費することで、特殊進化〈森霊・フォレストガーダー〉の位階上昇が可能です』

三つの進化先が提示される。

すでに特殊進化しているからだろうか。

今回は、すべての分岐が特殊進化のようだ。加えて【神性値】を消費して位階上昇可能なのも同様。

そして以前のように、どの進化でどのようになるのか、大まかだが理解できる。これは「前の俺」の知識とは違い、たぶん選択のために与えられた情報なのだろう。

それぞれを俺が何となく理解できる範囲で説明すると――、

「霊樹・フェアリートレント」は、そのままマナトレントの正統進化とでも言うべき性能だ。

本体の樹木はあまり強化されないが、妖精としての化身を生み出し、自由に行動することができる。魔力や魔法も、おそらくは強化されるだろう。

「樹精霊・エレメンタルワイズマン」は、完全に物質としての体を失い、精霊化する。

おまけに属性も地属性に限定され、魔法も「植物魔法」しか使えないが、代わりに威力は凄まじく強化されるだろう。まさに自然の一部を司《つかさど》る精霊といった感じで、幅広い対応力には欠けるが、魔法による攻撃能力は一番高い。

「森霊・フォレストガーダー」は、進化したばかりだと強化はほとんどない。

しかし『同化』というスキルを持ち、俺が大樹と同化したように、他の木々と同化して巨大化することができる。それこそ森一つを俺自身にする事も可能だろう。

時間さえあれば、めちゃくちゃ強くなれそう。

だが、俺はこのどれも選択しない。

なぜなら文章はまだ続いているからだ。

『【称号】『ハイエルフの友』『エルフの森の守護霊樹』『精霊の友』を確認しました。

実体の特殊変異を確認しました。

精霊の同化を確認しました。

【神性値】の保有を確認しました。

【神性値】「100」を消費することで、特殊進化〈エレメンタルフォレスト〉への進化、および位階上昇が可能です』

特殊進化の条件が最も難しい進化先が、これだ。

そしてその能力も、条件の困難さに比例するように最も高い。

おまけに「エレメンタルワイズマン」のように実体を失う心配もない。

ならば迷う必要もないだろう。

俺は「エレメンタルフォレスト」を進化先に選ぶ。

すると画面に『【神性値】を消費しますか？　はい／いいえ』という問いが表示されたので、もちろん『はい』を選択した。瞬間――、

『うぉおおおッ!?』

進化が始まり、エルフの里全体が鳴動し始めた。

第三十四話　なんか吸われたんですけど

俺自身のみならず、地下で繋がったエルフの里すべての大樹たちが鳴動する。

体の奥底から力が湧き上がって来るような感覚、自らが作り変えられていくような感覚。

けれどそれは、決して不快な感覚ではない。

存在の格が幾段も上昇するようなそれは、むしろ俺に全能感すらもたらし——、

『【固有名称】『——』が干渉しました。

【神性値】を「50」消費して進化および位階上昇します』

——はえ？

もしも俺に両目があったなら「目が点」という状態になっていただろう。

唐突に視界の中央に表示された文章に、感じていた全能感など吹き飛ぶ。

なぜならば、文章に表示され、消費された【神性値】が誰のものか理解してしまったからだ。

俺の中にあった何かが抜けていくような——いや、吸い取られていくような感覚があったのだ。

そしてそれは一度だけではなかった。


『【固有名称】『――』が干渉しました。

【神性値】を「50」消費して進化および位階上昇します』

『【固有名称】『――』が干渉しました。

【神性値】が不足しています。

還元可能な【称号】がありますが、基準値に満たないために還元は却下されました。

【固有名称】『――』の進化は保留されました』

『【固有名称】『――』および【固有名称】『――』の進化、位階上昇を開始します』

――ちょちょッ!?　なんだそりゃ!?


次々と文章が流れていき、俺がこれまでに溜め込んだ【神性値】が勝手に消費されていく。

しかも俺から拒否することもできないってどういうことだ!?

正直めちゃくちゃ焦っていたが、もうすでに【神性値】は消費された後だ。

すべては遅く、俺の進化は何事もなかったかのように進行中。

しかも、文章はこの期に及んでまだ続く。

『【固有名称】『――』および【固有名称】『――』は、【固有名称】『ユグ』から【神性値】の譲渡を受けたことにより、【固有名称】『ユグ』の眷属化します。

名称未設定のため、上位者『ユグ』が名称を設定してください』

いや……あの……そういうの、後で良いですかね!?


『【固有名称】『ユグ』の意思を確認しました。

眷属に対する名称設定を一時保留します。

名称設定に際しては、思念入力等は不要です。

各個体に決定した名称を告げてください』

……あ、はい。


なんか予想外に回答が返って来て困惑するぜ。

だが、俺の困惑をよそに進化は進行していく。

里の全ての大樹がゆっくりと巨大化していき、外周を囲む茨《いばら》の壁もその高さと厚みを増していく。

俺の本体たるマナトレントだった樹木も太く太く、高く高く成長していき、その大きさは遂に里に存在するどの大樹よりも上になる。枝の先で繁る木の葉の一枚一枚が不思議な光沢を宿していく。

里全体にキラキラとした光の粒子が舞い飛び、至るところに吊るされたマリモたちが、なぜかいつもより強烈な光を放ち――進化は完了した。

見た目的にはさほどの変化もない。

ただただ全てが大きくなり、さらに俺の本体が里の中でも最も巨大な大樹へと成長してしまった事――くらいだろうか？

あと何か、これは本体だけなのだが、樹木の全体からキラキラと神々しい光が放たれている。

それは強烈な光というわけではないが、淡く神秘的な光だった。

「ユグー！　だいじょぶー!?」

本体の根本の方で、セフィが見上げながら叫んでいた。

いや別に、里の中なら視点をどこにでも移せるから、上に向かって叫ぶ必要はないのだが、なぜか里の住人たち全員が大樹となった俺を見上げていた。

『ああ、大丈夫だ！』

と、きっぱり答えようとしたところで、先ほど【神性値】を勝手に消費された事を思い出す。

『……たぶんな』

致命的な問題というわけではないはずだから、大丈夫だと思うんだ。

自信なさげに付け足した言葉は、幸いなのか誰も聞いてはいなかった。

俺はさっそくとばかりに、進化した己のステータスを確認してみる。

【固有名称】『ユグ』
【種族】精霊森樹・エレメンタルフォレスト
【レベル】１／80
【生命力】２４２０／２４２０
【魔力】３９９１／３９９１
【スキル】『光合成』『魔力感知』『エナジードレイン』『地下茎生成』『種子生成』『地脈改善』『変異』『結界』『同化侵食』『精霊化身』『分霊生成』『精霊ノ揺リ籠』『魂無キ狂戦士ノ館』
【属性】地　水　光
【称号】『賢者』『ハイエルフの友』『エルフの里の守護精霊』『人気者』『武器製造の匠《たくみ》』『精霊の友』
【神性値】14

【スキル】『同化侵食』
【解説】自らの一部が触れる。対象が植物である。高度な意識、自我を持たない。以上の条件を満たした場合、その植物を自らの一部とし、同化する事ができる。ただし、無制限に己を広げれば、己を見失う可能性も考慮しなければならない。
【効果】接触した植物と同化することができる。

【スキル】『精霊化身』
【解説】己の【生命力】【魔力】を分け与え、精霊としての姿で化身する事ができる。また、依《よ》り代《しろ》があれば化身を宿すことで支配・操作する事ができる。化身が消滅しても本体に影響はないが、化身の生成に使用された【生命力】【魔力】は失われる。また、『憑依』スキルは『精霊化身』へ統合されている。
【効果】精霊体で化身する。

【スキル】『分霊生成』
【解説】【神性値】「10」を消費することで、自らの記憶、意識を複製した分霊を生み出す事ができる。しかし分霊の維持には自我のない依り代を必要とし、分霊が経験した記憶・情報は分霊を本体に統合しなければ知る事はできない。分霊を本体に統合しても、消費した【神性値】は還元されない。
【効果】【神性値】「10」を消費して分霊を生み出す。

【スキル】『精霊ノ揺リ籠』
【解説】あなた自身の領域において、精霊の発生、および成長が促進される。また、自ら【神性値】を分け与えることによって、位階の上昇を強制し、対象を眷属とすることができる。しかし対象が拒否した場合は無効となる。

【効果】近くに存在する精霊の成長促進、および新たな精霊の発生を促す。【神性値】を消費する事で眷属化する事も可能。

【スキル】『魂無キ狂戦士ノ館』
【解説】あなた自身の領域において、あなた自身が生み出した人形《ゴーレム》を自在に格納、解放することができる。一度格納されたゴーレムは「戦士」として形を得る。しかし、今はまだ魂を持たない人形にのみ限定されている。戦士たちはあなたに忠実で死をも恐れないが、魂無き故にエインヘリヤルとしての力は発揮できない。真のエインヘリヤルへ至るかどうかは、あなた次第である。
【効果】自身の生み出したゴーレムを自らの領域に格納し、また自由に解放する事ができる。

新たに得たスキルの効果は、こんなところであろうか。

あとは属性に「光」が追加され、地味に【称号】の『エルフの里の守護霊樹』が『エルフの里の守護精霊』へ変わっていたりした。しかし、得られる効果に変化はほぼないようだ。

うむ……、前回の進化以上に、色々と検証が必要だろう。

【解説】を読んでも、よく分からないスキルがいっぱいである。

ともあれ、新たに得たスキルは五つ。属性も一つ追加されて、検証するべき項目は多い。

これは時間をかけて、どのような能力か探っていくほかないだろう。

しかしまあ、とりあえず発動してみたいスキルがある。

『精霊化身』だ。

どんな姿の化身となるのか、めっちゃ気になるじゃんね。

人間的なのか、そうじゃないのかすら想像できんぞ。

まあ、悩んだところで答えは出ない。百聞は一見に如《し》かずとも言う。

とりあえず発動してみるか——と決断したところで、

「主様、この度は進化、おめでとうございます」

「そして、お初にお目にかかります」

『——え？』

聞いた事もない、声が響いた。

声の主は2名。

見た目は人族の女性というべきか。外見で判断するならば、20歳になるかならないかくらいの見た目で、両者とも鮮やかな緑色の髪と瞳をしていた。肌は透き通るように白く、華奢《きゃしゃ》な体つきをしている。しかし不思議と弱々しい印象は受けない。軽鎧《けいがい》を装備し、長剣を腰に差した姿が何とも様になっていたからだろうか。そんな彼女たちの顔立ちはエルフと見紛うほどに整っていた。

しかし、彼女らが人族や、ましてやエルフでもない事は一目瞭然だった。

いつの間にか俺の「目の前」——当たり前のように空中に浮かんで、こちらに微笑みを向けていたからだ。

「「我ら主様の眷属2名、これより末永くよろしくお願いいたしますね、ウフフ」」

そう言って悪戯気《いたずらっけ》な微笑みを浮かべ、深々と頭《こうべ》を垂れる。

思い当たる節はもちろんあるのだが、以前の印象とはまるで違って、俺は少々混乱していたかもしれない。

いやだってめっちゃ美人だし？

『……え？　……お姉さんたち、誰？』

第三十五話　眷属のお姉さん

「あ！」

と声をあげたのはセフィだ。

セフィは空中に浮かぶ二人の女性の内、片方を指差して、

「セフィのおうちのせいれいさんだ！」

と言ったのだ。

それに俺は、やはり、と内心で頷いた。

予想はしていたから驚きはな——いや無いわけないんだけどね。

いきなり成長し過ぎだろ。

「まあ！」

「セフィちゃんだ」

彼女たちは眼下にセフィを見つけると、柔らかく微笑みながらスーッと音もなく下へ降りていく。

そうしてセフィの目の前、地面の上にトンッと足音軽く着地した。

「こうしてお話しするのは初めてですわね、セフィちゃん」

「いつも私たちに力を分け与えてくれて、ありがとう」

力を分け与えて――というのは、おそらくセフィの「おうえん」の事であろうか。

「ふふーん！」

セフィは胸を張ってドヤ顔を浮かべた。

「どういたしまして！」

「これからもよろしくお願いしますわね」

「私たちも、これからはセフィちゃんに恩返しできるよ」

「おきになさらず！　セフィのおしごとなので！」

手のひらを向けてびしっと言うセフィ。

たぶん、どこかで覚えた言葉を言ってみたかっただけだと思うが、二人の女性は額面通りに受け取ったらしい。「そんなわけにはいきませんわ」とふるふると首を横に振ってみせた。

「私たちも主様のおかげで、樹精霊の戦乙女《ドライアド・ヴァルキリー》に進化することができました。これからはセフィちゃんや皆さんのお力になれると思いますわ」

「こう見えて私たち、なかなか強いと思うよ？　実戦はまだだけど」

「おー、たしかになー。つよそー」

と、セフィが頷く。

外見からして凛々しい美女なので、弱くは見えないのは確かであろう。おまけに空を飛ぶ事もできるっぽいし。

しかし「樹精霊の戦乙女」か。

ヴァルキリー……確かに、俺の「知識」の中にあるヴァルキリーっぽい外見だ。

そんな種族もあるんだな。精霊という割には、今の二人は実体があるように見える。彼女たちがどんな存在で、どんな能力を持っているのかも、追々確かめていかねばならないのだろうな。

二人の強そうな感じに納得したセフィは、きりりっと顔を引き締めて告げたのだ。

「じゃあ、ふたりを、さとのぼーえーたいちょーににんめーします！」

『両方とも防衛隊長になってるぞ、セフィ』

指揮系統が乱れそうな任命である。

「いいの！　たいちょーがふたりなら、にばいつよいでしょ！」

『その理屈はおかしいが、まあ……良いか』

部下ができるわけでもないし、厳格な組織があるわけでもないしな。

二人もその事はわかっているのか、特に何を突っ込むでもない。

柔らかい微笑みを浮かべたまま、恭《うやうや》しくセフィに一礼する。

「うふふ、その任、よろこんで拝命いたしますわ」

「里の防衛隊長として、頑張るよ」

「うん！　よろしくね！」

と、話が綺麗に纏《まと》まったところで、俺は本題に入る。

『いや、っていうか……君ら、里の大樹に宿ってた微小精霊だよね？』

一応、念のために確認する。

「ええ、元々はそうですわ」

「今は進化して成長したよ」

二人は頷く。

ここまでは予想通りだ。そして、

『もしかして、俺の眷属になった感じ？』

「ええ、もちろんですわ」

「主様に忠誠を」

進化の時に画面で告げられた眷属は、これも予想通りに彼女たちで間違いないようだ。

色々と言いたい事がないわけではないのだが、今さら言っても詮《せん》ない事だろう。ならば前向きに事実を受け止めて、彼女たちの力を有効に活用したい。

となれば、まず最初にするべきなのは……、

『そういえば、まだ名前ないんだよな？』

名付けしろと言われている事だし、名前がないと不便でもある。

ここは俺が名前をつけてやるべきだ――、

「なまえないの？　じゃあ、セフィがつけてあげるね！」

――と思ったところで、セフィが当然のように言った。

なんでだよ!?　と言いたいところだが、セフィのネーミングセンスは意外と悪くない。

ここは目をキラキラさせているセフィに任せてみるか。まあ、変なやつだったら却下すれば良いだけの話だしね。

『うむ、じゃあ、セフィ君』

「あいあいさー！」

『彼女らに良い感じの名前、考えてみてくれる？』

「かしこまり！」

びしりっと敬礼したセフィに、ヴァルキリー二人も拒否する様子はない。むしろ何かを期待するような楽しげな表情を浮かべて、セフィが考えるのを待っていた。

「うーんと、じゃあねぇ……こっちのせいれいさんが、ブリュンヒルドでー」

と、二人の内、髪が長く大人っぽい外見のヴァルキリーを指差す。

「こっちのせいれいさんは、エイル！」

髪が短めの、どことなくボーイッシュな印象を受ける方にそう告げる。

どういう理由で付けた名前なのかは分からないが、まあまあ良いんじゃないか？　俺としては「ヴァル子」と「ヴァル美」なんて名前も良いと思う。

二人がセフィが付けた名前を拒否するようなら、提案してみようと思う。

『ふむ……二人とも、どうだ？』

「ええ、セフィちゃんにいただいた名前、とても気に入りましたわ」

と、ブリュンヒルドが微笑み、

「主様が良ければ、この名前をもらいたいと思う」

と、エイルが頷いた。

二人とも嬉しそうに頷いたので、残念だが二人の名前はセフィの案を採用する事にする。……今回はね？

『じゃあ改めて、ブリュンヒルド、エイル、これからよろしくな』

「よろしくねー！」

「はい、よろしくお願いいたします」

「頑張る」

にこやかに頷くブリュンヒルドと、意気込むエイル。

新たに二人の仲間が加わって、里も賑やかになりそうだった。

そして傍らで話の成り行きを見守っていた長老が、集まった皆に聞こえるように告げる。

「ふむ……話も纏まったところで、疲れている者も多いことですし、今日はもう休みますかな」

『そうだな。さすがにもう、今日のところは襲撃者も来ないだろうし』

「きてもセフィがおしえてあげるよ？」

『俺も一応、里の周囲をちょこっと確認しておくし、問題ないだろ』

そうして、ようやく今日という一日が終わる。

たった一人の人族に予想外の苦戦を強いられて、なかなかにヒヤヒヤする一日だったが、無事に終わって良かった。

皆もどこかほっとした様子で解散しようとして――、

『――って、ちょっと待てい！』

俺は慌てて皆を呼び止めた。

そういえば、まだ俺の新たなる姿をお披露目していないじゃないか、と。

「どしたのー？」

「どうされましたかの？」

「何かあったっすか、精霊様？」

『ふっふっふっ！　まあ、ちょっと待ってくれ』

不思議そうに振り返るセフィたちに不敵に笑い、俺は進化して得た、新たなる力を行使する。

無論、『精霊化身』のスキルである。

『今まではまんま雑草とか木の姿しかなかったが、新しい姿を手に入れたんだぜ？』

「あたらしい、すがた……？」

俺は首を傾げるセフィの前でスキルを発動させ、精霊としての姿を化身させる――！

『これが俺の、新しい姿だ――!!』

そして俺の本体たる大樹が、一際眩《まばゆ》く輝いた。

第三十六話　アイ　アム　キャワイイ

俺の本体たる大樹が一際眩く輝いた。

瞬間、俺は自らの意識が何か小さな物へ押し込められて、大樹の幹から押し出されるのを感じる。

――ふよんっ、と。

音もなく衝撃もなく、大樹の幹から飛び出すようにして俺の精霊体が現れる。

視界は非常に明瞭で、眼下でセフィたちがぽかんと上を向いている姿が鮮明に見えた。

視覚だけじゃない。住人たちが発するざわめきも、風が体表を撫でる感触も、夕日が照らすささやかな熱も、森の木々が発する爽《さわ》やかな匂いも、何もかもが新鮮だ。

たとえるなら、今まで全身を覆っていた一枚の膜が、綺麗に剥がされたかのように。

スキルの説明から実体はないと思っていたが、それはどうやら微妙に間違いだったらしい。確かに肉の体ではないが、魔力で形作られた半実体とでもいうべき体――精霊体。感覚からすると、たぶん物に触れる事もできるのだろう。

そして何より新鮮なのが、俺が宙に浮いていることだ。

先程、ブリュンヒルドやエイルがそうしていたように、俺もまた当然のように空中に浮いていた。

高速で動き回る事こそできそうになかったが、魔力を操作するように精霊体を操って自由に動くこともできそうだ。

「「……」」

眼下を見れば、セフィたちはいまだ驚きに言葉を発していない。

それほどに格好いい外見なのだろう。いや、もしかしたら美しい、とでも言うべき外見なのかもしれないな。

ならば俺の新たなる姿を、俺自身も確認してみなければなるまい。

俺は精霊体をそのままに維持して、少しだけ意識を里の木々へ移した。

あまり長時間放っておけば魔力の結合が解けて、精霊体が拡散してしまうようであるが、数分程度なら問題はない。

里の木々から『魔力感知』で視覚を再現することで、俺は俺自身の姿を「見た」

それは半透明で淡く光り輝いていた。

しかし、目に痛いほどの光量ではない。直視しても問題がない程度の光。

その光が、俺の姿を形作っている。

大きさはセフィが両腕で抱えられるくらいであろうか。

形は基本、球体を想像してもらえれば良い。色は全体的に若葉を思わせる淡い緑色だ。

その球体に、真ん丸な目と、ちょこんとした鼻と、可愛らしい口を描き込んだ姿を想像して欲しい。とはいえそれらは、人間のように複雑な造形をしてはいない。あくまで球体の表面に描き込まれているように見える。デフォルメされた顔。

『――ゆるキャラかよッ!?』


ゆるキャラが何かは正確には思い出せないが、俺は思わずそう叫んでいた。

手抜きされたデザインの球体型ゆるキャラ。あるいは何かのマスコットか。

少しだけ工夫されている部分があるとしたら、それは帽子を被っていることだろうか。

つば広帽子を少しだけ斜めに被り、左目を隠している。

まるで子供の落書きがそのまま具現化されたような、力の抜けるような姿。

ははっ、何だよ……これは。

俺はあまりの精神的衝撃に、ふらふらと地上近くまで降下していく。

めちゃくちゃ格好いいイケメンな姿になると思っていたんだ。

なのにこんな……よく分からない生命体みたいな姿……。

心なしか、地面にポテリと転がった俺を、里の住民たちも哀れんでいるような気がする。

『ふふっ……なんだよ、笑えよ……』

思わず自嘲するような言葉が出てしまう。

『笑いたいなら笑うが良いさ！　こんなぶざまな俺の姿を！』

そう叫んだ直後、タタッと駆け寄って来たセフィが、両手で俺を持ち上げた。

「ユグ、まるくてかわいいっ！」

と言って、むぎゅっと抱き締めてきた。

………え？　まるくて、かわいい？

「主様、とても愛らしい姿ですわ」

「可愛い。抱き締めたい」

ブリュンヒルドとエイルも、セフィの腕の中に収まった俺を覗き込んで言う。

その表情からは、俺に気を使って心にもない事を言っている気配は皆無。となると本心からの言葉であろうか。

『………マジで？』

可愛いよりは格好いい方が良かった気もするが、好意的な印象があるならば、まあ、ね？

それにどうも、里の連中の反応も悪くないようだ。

女性や子供たちは「精霊様、かわいー」と言っているし、男連中も否定的な表情は見られない。

「ほっほっほっ！　これはこれは、精霊様らしい親しみやすいお姿ですな」

『そ、そうかな？』

と長老は言うし、

「ええ、すごく可愛らしいと思いますよ」

『そっかー……マジかー……』

ローレルもにっこりと言い切る。

「マリモみたいで馴染み深い形っすよね」

『マリ、モ……？』

しかし、ウォルの発言に愕然とする。

俺のこの姿、マリモなの？

そういえば進化する時やたら輝いてたけど……俺と何の関係があるんだよ!?

ま、まあ、ウォルの発言だけはちょっといただけないが、概《おおむ》ね好意的な感想が多いようだった。

っていうか、俺の造形に関して否定的な意見は見られない。俺に気を使ってるだけかもしれないけどね。

『俺……可愛い？』

恐る恐るセフィに聞いてみれば、

「うん！　ちょーどいいおおきさだし、だきごこちもいいし、セフィはきにいりました！」

と、にっこり笑って、少しずれた返答をくれた。

『そっかー……まあ、なら、これで良いかー』

可愛いと言われること、そんなに嫌じゃない俺がいた――。

第三十七話　戦乙女たちの力

傭兵たちが襲撃して来た翌日から、俺たちは一週間だけ他の狼人族《ろうじんぞく》たちが逃げて来ないか待ってから、里を別の場所に移動することにした。

普通ならばエルフや狼人族たちが持てるだけの荷物を持って移動するところだが、里の大樹たちやゴー君たちだって、いまや立派な里の一員だ。できれば置いて行くことはしたくない。

そこでセフィに協力してもらうことで、文字通り「里ごと移動」してしまおう――という計画だ。

具体的な方法については後述するとして、それまでに色々とやっておかねばならない事は多い。

里の住居を補強したり、中に置いてある家具を固定したり、あるいは移動に必要なだけの水や食料を集めたりなど、実に色々だ。

だがまあ、そういった事は住民たちに任せておいて、俺は俺で確かめなければならないこともある。

進化して得た新たなスキルや能力などを把握することは、急務ではないが早めにやっておかなければならないだろう。

そんなわけで、セフィと一緒にいろいろ検証したり、確かめてみたりした。

まずはブリュンヒルドやエイルたちについて。

「私の本体は、こちらですわ」

「セフィのおうち！」

そう言ってブリュンヒルドが示したのは、セフィの家がある大樹だった。

この樹に宿った精霊が、ブリュンヒルドであったらしい。

気になるのは、俺の精霊体とはまた違った体を持っていることだ。彼女たちの体は、単に魔力で構成されているわけではなく、きちんと実体と質量を備えている。

どうやって顕現《けんげん》しているのか、一度見せてもらうことになった。

「わかりました。それでは――」

と言って、ブリュンヒルドは大樹の幹に飛び込んでいく。

まるでそこが水面であるかのように幹の表面に波紋が広がり、ブリュンヒルドの体が呑み込まれていったのだ。

なかなかに衝撃的な光景だが、その後はさらに衝撃的だった。

波紋がおさまった大樹の幹に、再び波紋が生まれる。

その中心から浮かび上がるようにして、ぬうっと、ブリュンヒルドの形をした「人形」が姿を現したのだ。

それは紛れもなく彼女の姿形をしているが、表面はすべて木目模様に覆われている。木から削り出した人形とでも言うべき物。

その全体が幹から現れると、強い光が人形から放たれた。

光が消えた後、そこには木製の人形ではなく、人のような姿をして、軽鎧を身に纏い、腰に剣を差した女性がいたのである。

「このような感じですわ、主様」

にっこりと微笑んでブリュンヒルドが言う。

『ふ～む……察するに、自分自身の一部を依り代に使ってるのか』

「ご慧眼《けいがん》の通りですわ」

自分の一部でゴーレムを作り、それに憑依して操っている――というのが一番近いだろうか。

もちろんそれだけではなく、『精霊化身』のようなスキルも重ね合わせているのだと思うし、彼女らが自由に浮いたりできるのは、他のスキルの力だと思うが。

似たような事なら、俺もできるかもしれないな。

「で、私の本体はあっちだよ」

そう言ってエイルが指し示したのは、ブリュンヒルドの本体から一番近くにある大樹だった。

やはりセフィの家に近い順番で、成長も速いのだとか。

「セフィちゃんの近くにいると、力が湧いて来るのですわ」

「セフィちゃんは、私たちのアイドル」

と、ブリュンヒルドたちが褒める。

当然、セフィは胸を張ってドヤ顔した。

「むふー！」

そんなセフィはさておき、俺たちは話を続ける。

あ、ちなみに、今の俺は精霊としての姿をしている。あの、マリモみたいな丸い姿だ。移動にも楽なので、最近はこの姿でふよふよ浮いている事が多い。

『それで、ブリュンヒルドたちはどんな能力があるんだ？』

俺の眷属になったという話だが、具体的にどんな力を持っているのか、どれくらい強いのか、やはり知っておくべきだろう。

「そうですね、私たちの能力は――」

ブリュンヒルドが特に隠すこともなく説明してくれた。

それによると、彼女たち固有の能力は二つあるという。

一つはスキル『戦乙女顕現』

これは先程見せてもらった能力だ。自らの本体から依り代となる体を作り出し、それに憑依して操る。だが当然それだけではなく、なんと本体とは別の能力を独自に保有しているらしい。

戦乙女として持つ能力は、戦うために特化したものなのだそうだ。

そして、この特化した能力こそが、彼女たちが持つ固有の能力の二つ目だ。

スキル名は『英霊ヲ狩ル者』

その能力は、戦闘のための複数の能力が複合されている。

自在に空を飛ぶ能力。

武器を変化させる能力（腰の長剣を、槍や弓など好きな武器に変える事ができるらしい）。

致命傷を与えやすくする能力。

――などがあるが、最も特徴的なのが「殺した相手の魂を保管する」能力であろうか。

ちょっと良く分からないのだが、殺した相手なら誰でも良いわけではなく、相手が了承し、かつ彼女たちがこれと判断した者の魂を保管する事ができるらしい。

保管してどうするのかと聞けば、依り代を与えることで戦わせる事ができるのだとか。

まあ、この能力に関しては、後々検証していくしかないだろう。

『本体の方は、何ができるんだ？』

「本体の方は、主様からの能力を一部引き継いでいますわ」

との事で、スキルの構成的にも基本的な部分は俺と同じになっているらしい。

まあ、『結界』や『精霊ノ揺リ籠』など、引き継げなかったスキルも多いらしいが。

「しかし現状、半分は主様と同化していますし、本体で能力を使用することはないかと。私たちの本体をどのように用いるも、すべて主様にお任せしますわ」

彼女たちが自分自身の能力を使うより、俺が自らの一部として用いた方が効果的に能力を活用する事ができる――という事らしい。

「それよりも個別の戦力として扱ってもらった方が、良いかも」

と、エイルが意見する。

どうやら戦闘能力には自信があるようだった。

『そっか。じゃあ、どれくらい戦えるか、確かめさせてもらいたいんだが……』

「かしこまりました」

「頑張る」

ブリュンヒルドとエイルは意気揚々と頷いた。


里の周辺で一番強い魔物は、タイラントベアーだ。

ゴー君1号でさえ、一人で戦えば苦戦を免れない相手。

ブリュンヒルドたちの力量を見るために、そんなタイラントベアーを相手にしたのだが……。

『マジで……?』

「すごー……」

俺とセフィは揃って口をぽかんと開けていた。

場所は当然、森の中。タイラントベアーが生息する場所までわざわざ足を運び、万が一に備えてゴー君1号も護衛として控えていた。

しかし、護衛は不要だったかもしれない。

何しろ一撃だった。

タイラントベアーと邂逅《かいこう》した後、長剣を抜いたブリュンヒルドは、それを一本の長槍に変化させると高く高く飛び上がった。

森の木々の梢よりも遥かに高く飛び上がり、そこから眼下のタイラントベアーに向けて高速で急降下。

落下の勢いを乗せて槍を深々とタイラントベアーに突き刺したのだ。

場所は四つ足を着いていたタイラントベアーの首の後ろ——人間で言えば延髄辺りで、明らかに致命傷であった。

タイラントベアーは、その巨軀《きょく》をぴくりともさせる事なく倒れ伏している。

彼女らはそれぞれ植物魔法に加えて、水属性と風属性の魔法を使えるらしいが、魔法の腕を確認するまでもなく戦闘は終了してしまったのだ。

さすがに、これだけでは良く分からんと他の魔物も探して戦ってみてもらったが、結果は似たようなものだった。

すなわち、すべて一撃にて戦闘が終了したのだ。

これはブリュンヒルドだけではなくエイルも同様で、正直な話、彼女らがどれほど強いのか、その上限は不明だ。

一応、魔法とかも使って戦ってもらったのだが、俺では強いという事しか分からなかった。

植物を操り、蔦で魔物を拘束する。水の球体で顔を覆って溺死させる。風の刃で急所を的確に切り裂いたかと思えば、それが致命傷となって魔物は沈黙する……。

うん、つおい。

「どうでしょうか、主様？」

「頑張ってみた」

　一通りの戦闘を終えて、ブリュンヒルドたちが言う。

　その顔は戦闘で血行が良くなったのか（なお、血が流れているのかは不明）、あるいは別の理由によるものか、どこか艶《なま》めかしく上気していた。

『うん。良いと思います』

　主として最低限の威厳を保つためにも、何がなんだか分からなかったよ、とか言えない。

　俺はただ、そう返事をするしかなかったのだ。

　彼女らは満足げに頷きつつも、「しかし」と少しの不満をあらわにする。

「所詮《しょせん》は魔物だからでしょうか、良い魂がありませんでしたね」

「いっぱい集めたかったのに、残念」

　……物騒だな。

　いや、俺に対する不満じゃなくて良かったけども。

第三十八話　狂戦士こわい

スキル『魂無キ狂戦士ノ館』の解説には「あなた自身の領域において、あなた自身が生み出した人形を自在に格納・解放することができる」と記されていた。

この「あなた自身の領域」というのが何を指すのか。

色々と試してみた結果、これは俺自身の一部が触れていることが条件であると判明した。

俺が生み出したゴーレムならば、触れていることで「格納」する事ができたのである。

とはいっても、どこに格納されたのかは分からない。

不明だ。

謎時空――とでも表現するしかない。いやマジで。

試しに量産型ゴー君の1体を「格納」してみた。この際、触れたのは俺の根っこだ。

見た目には俺の根っこに「にゅるん」と擬音でも付きそうな感じで吸い込まれたのである。

吸い込まれたゴー君の質量がいったい何処《どこ》へ消えたのかは分からない。不明だ。

吸い込んだ根っこが太くなるわけでもないのだから、本当に謎である。

そして吸い込んだ量産型ゴー君を再び取り出した――つまり「解放」した時には、見た目どころかステータスまで変化していたのだ。

「つよそう！」

『たしかに強そうだけど、なんだこの見た目……』

実際に解放した量産型ゴー君改め、狂戦士を見たセフィと俺の第一声がこれである。

ちなみに解放するのは俺の体のどの部分でも可能だが、この時は里の広場にある俺の本体から取り出してみた。

いまや立派な巨木となった俺の幹に波紋のような揺らめきが生じ、その中心から浮かび上がるようにして狂戦士は現れた。

その外見は、一言で表現すれば「全身鎧」だ。

鎧の色は光沢のある黒だが、良く見ると木目模様が見えた。基となったのがウッドゴーレムのゴー君だからであろうか。

しかしその造形は所々鋭角的であり、今にも襲いかからんとするかのように少しだけ前屈みになったような姿勢をしていて、どこか禍々《まがまが》しい印象を受ける。

そんな狂戦士の右手には、同じく光沢のある黒色をした大剣が握られていて、思わず身構えてしまうような威圧感を感じた。

おまけに身長は前屈み――というか、猫背になっているのに2メートルは超えているだろう。

総じて「狂戦士」という名前に相応しい雰囲気だが、俺としては暗黒騎士とか死霊騎士とでも呼びたいような外見だ。

『なんでこんなに邪悪そうなんだよ……』

「えー？　かっこいーよ？」

とセフィが首を傾げて言う。

『前から思ってたが、セフィの「格好いい」に対するセンスは、ちょっとおかしいな？』

「そんなことない。セフィのしんびがんはすごいって、ローレルもゆってた」

たぶんそれはセフィに気を使っただけだと思う。

まあ、セフィの審美眼の是非はおいといて、俺は狂戦士のステータスを確認できないか試してみる事にした。

自我がない存在であるか、自我があっても相手の了承があれば憑依する事ができる。

憑依すれば、憑依した対象のステータスを確認する事ができるのだ。

果たして狂戦士に自我はあるのか——と思ったが、スキルの【解説】にも「魂はない」と書いてあった通り、どうやら自我はないようですんなりと憑依する事ができた。

ちなみに精霊体は物に触れる事もできるが、その気になれば物質を透過する事もできる。

なので透過するように依り代の体の中に潜れば、そのまま憑依することが可能だ。

『ふむ……』

そうして狂戦士に憑依した俺は、さっそくとばかりにステータスを確認した。

なお、精霊体で憑依した事により、ステータスには色々と上乗せされて表示されているが、その差分を抜いた狂戦士の純粋なステータスが、これだ。

【固有名称】なし
【種族】魂無キ樹人形ノ狂戦士
【レベル】なし
【生命力】１０００／１０００
【魔力】５００／５００
【スキル】『ベルセルクの激情』『必中必死』『生命探知』『格納再生』
【属性】地
【称号】なし
【神性値】なし（館の主に捧げられる）

【スキル】『ベルセルクの激情』
【解説】【生命力】と【魔力】を継続的に消費し続けるが、代わりに身体能力が爆発的に上昇する。
だが覚悟しなければならない。ひと度発動すれば理性なき獣と化し、己がどれだけ傷つこうとも全ての敵を駆逐するまで止まる事はなく、敵を倒す以外の行動ができない。
【効果】【生命力】と【魔力】を消費し、身体能力を大幅に上昇する。

【スキル】『必中必死』

【解説】因果をねじ曲げ、必ず命中する強力な一撃を繰り出す。しかして肝に命じなければならない。因果をねじ曲げる力は神ならぬ身には過ぎた力であり、弱き者は代償に命を差し出すしかない。
【効果】全ての【生命力】【魔力】を代償に、必中する強力な一撃を放つ。スキル行使後、使用者の位階が低いと死亡する。

【スキル】『生命探知』
【解説】命在る者の存在を把握する。その探知範囲は広く、自身を中心とした球状に展開される。
【効果】命在る者の存在を把握する。

【スキル】『格納再生』
【解説】どれだけの損傷であっても『魂無キ狂戦士ノ館』に格納されることで再生される。ただし、再生には館の主の魔力を必要とし、損傷の度合いによって消費される魔力、再生のための時間は変化する。
【効果】『魂無キ狂戦士ノ館』に格納されることで再生される。

確認したステータスは、こんな感じであった。
かなり特徴的なステータスだ。
【生命力】と【魔力】だけは元の量産型ゴー君に比べて増えているものの、ステータスを一見したところ、総合的には弱体化してしまったのかと思うほどに簡素な表示。

　もしも本当に弱体化しているのなら、わざわざゴー君たちを狂戦士にするメリットはないわけだが……なかなかに有用そうで、なかなかに不穏なスキルが二つあるのが色んな意味で悩ましいところだ。

「ユグ」

『どうした？』

　きりりっとした表情で、セフィが俺を呼んだ。

「あたらしいゴーくんのせいのうを、はやくかくにんするべき」

『それには同意するけどさぁ』

　せめてワクワクウキウキしたような顔を隠してはくれまいか。

「セフィのようそうでは」

『はい』

「たぶん、このゴーくん」

『なんでしょう』

「まものを、くう」

『そのヴィジュアルは完全に化け物だな』

　嫌だよ、そんな配下は。

　まあ、流石のセフィも冗談で言ってるんだろうけどね。

なんだよ魔物を喰うって。口ねぇよ。


何はともあれ、狂戦士の性能を調べてみない事には始まらない。

セフィに催促されたからではないが、俺たちはいつものように広場で訓練していたウォルナットとゴー君1号を万が一の護衛に引き連れて、里の外へ魔物を探しに向かった。

昼間の麗《うら》らかな陽光が木々の梢の間から降り注ぎ、柔らかい風が吹き抜ける森の中は、大量の魔物が生息しているとは信じられないほどに静かだった。

「……ぅわ」

『……こわ』

目の前の光景に、俺とウォルは思わずといった感じに声を漏らしてしまう。

少し前まで、確かに辺りには大量の魔物たちがいた。

里から少し離れた場所には、霊峰フリズスから湧き出す清水が川となって流れる場所がある。その少しだけ拓《ひら》けた川原に、いつの間にか数十のゴブリンたちが巣を作っていたらしい。

木々の枝や草、動物の骨、あるいは皮などを組み合わせて粗末な家らしきものが幾つも作られていた。

そんなゴブリンの巣は、いまや見る影もなく壊滅状態だった。

始まりは森でゴブリンに出くわした事。

当然、流石にゴブリン相手に負ける事はなかろうと、狂戦士を戦わせてみた。

狂戦士はどうやら、戦闘となると自動的にスキルが発動してしまうらしい。もちろん『ベルセルクの激情』のことである。

「――――――――！！！」

彼はいわく名状しがたい雄叫びをあげた。

声出せるんだ、とかそんな事を突っ込む余裕もなかった。

「きあい、すごい」

とかセフィが呟いていたが、それは気合いとかそういう「穏便な」ものではなかった。

憤怒とか憎悪とか、我を忘れるほどの殺意の雄叫びとか、そういう表現をした方が適切だろう。

「…………何すかアレ精霊様、恐いっすよ」

『いや、俺に言われても』

俺とウォルはすでにドン引きだった。

「いやいや精霊様が作ったんすよね？」

『そうだけど。いやー……俺に言われてもなー……』

俺が悪いのだろうか？

そんなこんなで現実逃避気味に話し合っている間にも、狂戦士は行動を起こしている。

凄まじい雄叫びを真正面から浴びて怯《ひる》んだゴブリン。

彼はそんなゴブリンに向かい、獣のように疾走した。その上体は地面に着くかと思うくらい前のめりであり、まさに獣が獲物に襲いかかる様を彷彿《ほうふつ》とさせる。

僅か10歩ほどの距離など、瞬く間に喰らい尽くされた。

黒い影となって疾走した狂戦士は、駆ける勢いそのままに黒い大剣を叩きつける。

まるで水面に岩を投げ入れたような大音が轟いた。

ゴブリンは死んだ。その死に様は良い子には見せられない感じだった。

「つおい」

セフィはたらりと冷や汗を流しながら、まるで凄まじい手練《てだ》れを前にした戦士のごとき表情を浮かべて呟いた。

対して俺とウォルは言葉もなく固まっていた。

つおい。

だが、ドン引きである。

「――――」

狂戦士は既にゴブリンには興味もないというふうに、ぐるりと辺りを見渡し始めた。

その視線（人間なら目があるであろう場所）が、ぴたりとある一点で止まる。

つられて視線を向けて見るが、そこには森があるばかりで魔物の姿は見えない。

後になって気づいたが、一度戦闘が終了してスキルを使えるようになった彼は、『生命探知』でゴブリンの存在を探っていたのだろう。今しがた戦った相手であるから、ゴブリンを敵と判断しているようだ。

「――――――――！！！」

またしても雄叫び。

しかし気のせいであろうか。その声に歓喜の念がこもっているように聞こえるのは。

そして彼は、森の中を迷う様子もなく疾走し始めた。

『――ハッ!?　ヤバイ！　追うぞ！　ゴー君はセフィを抱えてついて来い！』

声もなく見送ってしまったが、手綱もなく解き放ってはいけない存在な気がする。

我に返った俺は慌ててそう告げて、遥か先を行く狂戦士の背を追い始めた。

ちなみにセフィをゴー君に抱えさせたのは、セフィが自分で走るよりもその方が速いからである。

そして森の中を走ることしばらく、川のせせらぎが聞こえたかと思うと視界が開けた。

同時、川原に築かれたゴブリンたちの巣が見え――、

「いきいきしてる」

後から追いついたセフィが、惨劇と化した光景を眺めながら呟いた。

確かに狂戦士が縦横無尽に暴れまわり、時折天高く雄叫びをあげている様は、「生き生きしている」と表現しても間違いではないのかもしれない。

集落に住まう数十のゴブリン対狂戦士の戦いは、最初から最後まで一方的であった。

ゴブリンたちの中には、それなりの集団であるためか、ホブゴブリンと呼ばれる上位種の姿もちらほらと確認できた。

それだけにあらず、弓を射る個体、槍を繰り出す個体、炎の魔法を操る個体と、統率こそとれていないが、さながら軍隊のごとき様相を呈している。

しかし、どの攻撃も魔法も狂戦士に大きなダメージを与えることは叶わないようであった。

縦横無尽に繰り出される黒い大剣は、ゴブリンたちの粗末な住居を吹き飛ばし、集団で襲いかかる彼らを一撃で弾き飛ばす。

さながら黒い颶風《ぐふう》のごとき暴威は、程なくゴブリンたちの全滅をもって終わりを告げた。

そして勝鬨《かちどき》をあげるかのように、天へ向かって咆哮《ほうこう》する狂戦士。

「……せ、精霊様」

『……お、おう』

俺とウォルはいつの間にか、抱き締め合うようにして身を寄せ合い、震えていたのだ。

え？　めっちゃ恐いやんコイツ。

幸いなのはセフィの言うように、魔物を喰うことがなかった事くらいだろうか。

とりあえず、戦闘という一点から考慮すれば、弱体化どころか大幅な強化がされているのは間違いなさそうだ。

しかし俺は、とんでもないものを生み出してしまったのかもしれない。

――などと戦々恐々としつつも、結局は「引っ越し」の際に楽だからという理由で、里の外周に配置していた量産型ゴー君たち数百体を、すべて『魂無キ狂戦士ノ館』に格納する事になるのは、翌日の事である。

ちなみに、ゴー君1、2、3号を筆頭とする、初期に生み出した十数体のゴー君たちは、どうやら既に自我が芽生えていたようで、格納する事はできなかった。

いや、出来てもするつもりはなかったんだけどね。

そろそろ彼らも進化が近いと思う。


あ、それから。

狂戦士のスキル『必中必死』も試してみた。

試した相手はタイラントベアー。

流石に1体では勝てないかと思っていたのだが、【解説】さんが不穏な説明をしているだけのことはあり、滅茶苦茶強力なスキルだった。

どのように「必中」となるかも気になっていたため、タイラントベアーから10メートルは離れたところからスキルを使ってもらったんだが、狂戦士が絶対に届かない場所から剣を振った次の瞬間、タイラントベアーの頭部が爆散した。

『は？』

そしてさらに次の瞬間、狂戦士の体にバキリバキリと亀裂が走り、無数の木っ端と化して形を失った。

『は？』

強力な攻撃とか、そういうレベルじゃない。とんでもなく不条理な現象を目の当たりにした。狂戦士の剣は絶対にタイラントベアーに当たっていなかったはずだし、剣から何かが飛んだようにも見えなかったのだ。因果をねじ曲げ、攻撃が当たったという結果をもたらす、まさにスキル名の通り「必中」だった。

しかし、これまたスキル名の通り「必死」でもあった。つまりは「必ず自分が死ぬ」っていうことだ。

一応、粉々になった狂戦士の欠片《かけら》を『魂無キ狂戦士ノ館』に格納して再生できないか試してみたんだが、完全に死んでいるらしく、そもそも格納することもできなかった。

『このスキルは……封印だな』

あまりにも強力だが、この一撃でどんな敵でも倒せるというわけではなさそうだ。あくまでも「必中」ではあれど、これは「強力な一撃」に過ぎないからだ。

果たして狂戦士ゴーレムを1体無駄にしてまで使う価値があるかどうかは、疑問である。

第三十九話　引っ越し先は訳あり物件

『――それで、どこに逃げるかだが』

すでに場所を知られてしまった可能性がある。

もしくは、これから知られてしまう可能性が高いこの場所に、ずっと留まるのは危険過ぎる。

問答無用でこちらを殺しに来る人族が、あの大人数の傭兵たちみたいに、それほど強くないのであれば迎え撃つ選択肢もあっただろうが、おそらく教国の騎士と思われる男は不条理に強すぎた。

あのような化け物が大人数で攻めて来たら、さすがに今の俺たちでは抗《あらが》う事も難しいだろう。

だからこそ、里の場所を移す事は決定事項だと言っても良い。

しかし、同時に考えなければならない事もある。

いったい何処へ移動すれば良いのか、という問題だ。

『何か、良い場所知らないか、長老』

「そうですなぁ……」

エルフの里、長老の家にて。

俺は大きめのクッションにもたれ掛かったセフィに抱き抱えられながら、対面に座る長老と話し合っていた。ちなみに、当然ながら今の姿は精霊体である。

「単に北へ移動すれば、まだまだ時間は稼げると思いますが……霊峰フリズスは暮らすには適さない土地ですからな」

『食料が少ないとか、そういう問題か？』

　真面目な話し合いである。

　セフィは幼女なので、すでに退屈していた。

　手持ちぶさたになったセフィは、俺の体をむぎゅむぎゅむにむにして遊んでいるが、幸いにして念話を発することに支障はない。

「いえいえ、ここよりも余程魔素が濃い土地ですからな。食料になるものは幾らでもありますぞ」

『ふむ……となると、問題は魔物か？』

　長老の返答から推測して口にすれば、肯定するように深々と頷かれた。

「その通りですな。何しろ霊峰は別名を竜の巣とも言われるほどに、竜種が多く生息している土地でもあるのです。1体や2体の竜種ならば、今の里の戦力でも十分に撃退は可能ですが……ワイバーン種などは数十体単位で襲いかかって来ることもありますので」

『数十体……狂戦士が数百体いるけど、それじゃあ相手できないかな？』

　すべすべつるーんっと、俺の体表をセフィの手が撫でていく。

「狂戦士……ああ、新たな守護者様たちですな。それならばまあ、戦力的には十分かもしれませんのう……。しかし、対空攻撃の手段が不足しているので、やはり撃退は難しいかもしれませんな。

ワイバーンのような下位竜種だけでなく、属性竜のような上位種も多様におるのが霊峰ですので」

『対空攻撃手段かぁ……ブリュンヒルドたちは飛べるけど、流石に二人じゃ無理だもんなぁ……』

セフィが一所懸命に俺の帽子を脱がそうとしているが、残念、この帽子は被っているわけではないのだ。精霊体がそういう形になっているだけで、帽子の部分も繋がった俺の体なのである。

だから力一杯引っ張っても無駄……いたいいたい痛いよ!?

「ユグ、いたいの？」

『痛いっていうか、ダメージが来るからね？　もっと優しく扱ってよね？』

「かしこまり！」

いつも返事は良いよね。

「我々エルフも遠距離を狙う攻撃魔法は使えますが、高速で飛び回る相手となると少し勝手が違いますからなぁ」

『あ、長老は何事もなく話を続けるのね』

まあ、俺も大砲みたいなやつでウォーターカッターとか出せるようになったけど、あれは距離が開くほど急激に威力が落ちていくしなぁ。おまけに魔力の消費も馬鹿にならないくらい多い。

竜の巣窟に住《す》み処《か》を移すのは、やはり現実的ではないのか。

「ヴァラス大樹海を転々と移動するのが、やはり現実的な手段と思われますが……」

と、長老自身も苦渋の選択なのだろう、難しげな顔でそう言った。

俺はセフィにぽーんっぽーんっと空中に投げ飛ばされながら問う。

『他の国に行くってのはダメなのか？　多種族国家もあるんだろ？』

長老は非常に苦々しげな顔で、何か言葉を選ぶように答える。

「難しいでしょうな……狼人族だけならば、あるいは受け入れてもらえるかもしれませんが……」

狼人族だけ？　と、そこまで考えたところで気づいた。

エルフには教国にとって、見逃す事のできない存在がいる。

『そっか、わかった』

それ以上を言わせないために、俺はすぐに頷く。

しかしそうなると、やはり長老の言うようにヴァラス大樹海から出る事は難しいのだろうな。一時的に短期間滞在するくらいならばともかく、住み着くとなると俺たちの存在が教国にバレて、迷惑をかけることになるかもしれない。

この先、教国と戦う事になるのだから、どこかの国の庇護下に入れたら良かったのだが。

やっぱり戦争は数だって、偉人も言っていた……ような知識もあるし。

『もっと仲間っていうか、同盟者の存在を増やしたいところだけどなぁ』

この先もずっと少人数で教国に抗う事はできないだろう。

どれだけでも時間をかけて良いのなら、大樹海すべてを『同化侵食』するという手が使えるかもしれないが。

いや、分霊を複数生み出して分割管理すれば、もしかしたら可能かもしれないと思うんだよな。

しかし流石に、そんな事をしている時間はないだろう。

「ユグ、なかまになってくれそーなひと、セフィしってるよ」

『ぬ？』

天井すれすれの場所から落下した俺を見事にキャッチしたセフィは、クルリと俺の顔を自分の方へ向けると、そう言ったのである。

『え、誰か知り合いでもいるの？』

幼女の人脈とはいえ、セフィはハイエルフ。

もしかしたら、ハイエルフ的なハイソサエティな繋がりがあるのかもしれない。

そう期待しつつ聞けば、

「あったことはないけど」

『会ったことねぇのかよ!?』

それって知らない人じゃんね!?

せめてガーランドとか言うかと思ったわ！

「でも、れーほーのふもとにすんでるらしいよ？」

『うん？　何ですって？』

霊峰の麓に住んでる？

さっきまでそこにはやっぱ住めないよね――っていう話をしていたんだが？

しかし、もしも霊峰に住むことができるのならば、たとえそこに先住民がいたとしても迷惑をかける可能性は低いだろう。何しろ教国とは、広大過ぎるにもほどがあるヴァラス大樹海を挟んでいるのだから、大軍で攻め込むどころか、距離や立地的に他の地域との交流もないだろうから、俺たちの居場所さえ教国は摑むことができないはずだ。

要するに、霊峰の麓は俺たちにとって実に都合の良い移住先だと言えるだろう。

俺はくるりと体を回転し、長老の方を振り返る。

すると、長老はなぜか俺から目を逸らしていた。

『……おい、ジジイ』

「……」

『おいコラどういう事だ。何隠してやがる？』

「……あー、聞こえませんのぅ。最近耳が遠くなりましてのぅ」

ジジイは完全に黙秘する構えだった。

このジジイとて安全に暮らせる場所があるなら、それに越した事はないはずである。にもかかわらず隠そうとしていたのは、何か理由があるのだろう。

それが何か、致命的な欠陥ゆえに、とかだったら構わないのだが……。

『セフィ、そこには誰がいるんだ？』

ジジイは答えそうにもないので、セフィに聞く事にした。

するとセフィの言葉を遮るように、ジジイが慌てた声を出す。

「ああーっ！　いけませんぞ姫様！　あそこは我らエルフにとって敵地にも等しい土地！　口にしてはなりません！　口にしてはなりませんぞ！」

「え？　そなの？」

セフィは素直に知らなかった、というような顔をする。

そして頷くと、口を押さえるように手を当てた。

だが、セフィの口を割るなど、俺にとっては容易《たやす》いこと。

『セフィ、あとで桃10個やるよ』

「ん。そこにはドワーフってひとたちがすんでる」

セフィは一瞬も躊躇《ちゅうちょ》することなく、すぐにきりりっと頷いて話してくれた。

「ああーッ!?」

長老が大声をあげるが、そんな事はどうでも良い。

重要なのは、そんなところに人が住んでいるのを、ジジイが黙っていた事である。

『なんで黙ってたんだよ？』

「だって、ドワーフなんぞと一緒に暮らすなど、反吐が出ますからな」

非常に嫌そうな顔で答えるのだが……うん、「だって」とかもう、ね……好き嫌いの問題かよ!?

第四十話　ドワーフとの確執　～五千年の歴史～

「奴らが我々を受け入れるとは思えませんな。何しろ我らエルフはドワーフのことが大嫌いですが、ドワーフどもも我らエルフのことが大嫌いですからのぅ」

と、長老は語る。

ああ、ドワーフの里か何かが霊峰の麓にあるのなら、そこに住まわせてもらえないかという話である。

彼らがどうやって霊峰での生活を成り立たせているのかは知らないが、すでにそこに住んでいるのだから、霊峰の魔物たちをどうにかする方法があるのだろう。

その方法を教えてもらえるか、また教えてもらえたとしても俺たちが真似できるかは分からない。

だから最善は、ドワーフたちと一緒に暮らす事だと思うのだが……。

長老の返答は先の通りであった。

「そなの？」

と不思議そうに首を傾げるセフィは、どうやらエルフとドワーフの確執を知らなかったようだ。

「姫様はまだ彼奴《きゃつ》らと会った事がないのでしたな。それにまだお若いですし、知らずとも当然ですか……」

ふむ、と長老は自らの長い髭を撫でながら思案した。

それから真剣な様子で、一つ頷いて語り始めたのだ。

「良いでしょう。姫様も我らエルフを導く者として、知っておかねばならないでしょうからな。エルフとドワーフの確執の歴史……儂が知る限りのそれを、語るとしましょうか」


「我らエルフとドワーフどもが、なぜ反目し合っているのか……。

その理由は、今よりおおよそ５０００年前の出来事に端を発しております。

神々の大戦ラグナロクが起こったのが、だいたい３００年ほど前。

それよりも遥か昔、５０００年前にはまだ、今では旧《ふる》き神々と呼ばれ、滅んだ神たちは存在しませんでした。

存在するのは今では自然神と呼ばれる、各々が自然を司る神々のみだったのですな。

そう。

姫様も自然神の１柱ですぞ。

ハイエルフは我らエルフの中から生まれる自然神で、植物や森という存在を司っているのです。

では旧き神々は何かと申しますと、各々が自らの力のみで神へと至った戦闘神と呼ばれていたのですが……まあ、これは関係のない事ですな。

ともかく。

旧き神々もまだ存在しないくらい昔、我らエルフの住む森の木々を、奴らドワーフどもは大量に伐採していたのです。

なぜかと申せば、ドワーフどもは鍛冶《かじ》などの金属を加工する術《すべ》に長《た》けておりましてな。

加工した金属製品を他種族に売ることで、生計を立てていたのです。

しかし、金属を加工するには大量の燃料が必要となります。

その燃料として、クソドワーフどもは我らの森を、木々を、何の断りもなく伐採していたのですな。

当然、我らエルフは博愛の精神を持っております。

ドワーフどもがそうするのも必要あっての事と思い、最初は我慢していたのです……。

度が過ぎればそれとなく注意するなど、それはそれはもう、優しく接していたのですなぁ……。

しかし、ドワーフどもは幾ら注意しても行動を改めることはなく、好き勝手に森の木々を減らすばかり。

そこで少々お灸を据えようと、我らエルフが交易に出していた酒を止めてみたのです。

ああ、彼奴らは度しがたい酒精中毒でしてな、三度の飯より酒が好きというような輩《やから》で。

そんな奴らにならば、酒を止めるのが一番良い薬になると考えたのですな。

こう見えて我らエルフは酒作りが得意なのです。

そもそも酒は植物から作りますからな、その植物の扱いにおいて、我らエルフの右に出る者はいないという次第で。

当時、最高の品質と味を誇っていた我らエルフの酒が手に入らなくなったドワーフどもは、しかし自らの蛮行を省みることもなく、不遜《ふそん》にも我らに抗議して来たのです。

奴らは脳みそまで筋肉で出来ているような輩ですからな。

反省すれば温情をくれてやった事でしょうが、悲しい事にそうはならなかった。

そこで！

我らエルフは、周辺の様々な種族、様々な国々に協力を頼んだのです。

かつて我らエルフは大陸の盟主としての立場にありました。ゆえに、多少のお願いならば号令を発することも不可能ではなかったのですな。

我らは他の種族たちにお願いしました。

ドワーフに酒を流さないように、と。

奴らの目を覚まさせるためにも、どうか協力して欲しい、と。

まあ、流石に全ての酒を止められるわけもなく、隠れて交易を行っていた者たちは幾らでもいたでしょうが……それでも全体の流通量は激減し、自然、酒の値段も高騰していくわけでして、我らの目的は果たせていたというわけです。

これできっと彼らも目を覚まし、我らの言葉に耳を傾けてくれるようになる……我々エルフは、そう信じていたのですな……。

しかし！

なんとっ！

彼奴らは愚かにも我らエルフに対して謝罪するどころか、宣戦布告して来たのです！

森を削るのを止めないばかりか、たかが酒を断ったくらいで宣戦布告ですぞ!?

信じられますかな!?

それから１００年以上、エルフとドワーフの戦争は続きました。

最終的には我らエルフの住む森の木々を伐らない、他種族の酒のみ輸出規制を解除する――という条件で休戦協定を結びましたが……。

それから５００年、我らエルフとドワーフは終戦宣言を出しておりません。つまり、今もなお戦争中というわけですな。

――とまあ、こんな事情もあり、愚かなるドワーフどもを許すわけにはいかないのです。

そして奴らも我らを逆恨みしていますからな。

一緒に暮らすなど、もっての他ですぞ！

お互い長命種という事もあり、この確執は今でも連綿と続いているのです。

親から子へ、子から孫へと……」

『……へぇ』

長老の話を聞き終えて、俺はそう呟いた。

く、下らねぇ……。

だから何だよ、っていうね？

今はそんな事言ってる状況じゃねぇだろ、っていうね？

『セフィ』

「あい」

とりあえず、里の最高責任者かつ最高権力者の承認さえ得てしまえば、長老の駄々など関係ないのである。

『ドワーフの里に避難するってことで、良いか？』

「いーよ」

良し、これでオーケー。

「あぁ!?　なりません！　なりませんぞぉ!?　姫様も一度奴らに会えば分かります！　奴らがいかに無礼で野蛮なのか！　生理的に無理！　という言葉の意味を、姫様もきっと知る事になるのですじゃ！」

とか何とか長老が叫んでいる。

俺の知識にも「エルフとドワーフは仲が悪い」という情報はあるけれど、ここまでとは。

まぁ、別に長老が何と言おうが、もはやドワーフの里を目指す事は決定事項である。

『長老』

「――何ですかな？　諦めてくれましたか？」

『一応聞いてみるけど、ドワーフたちの正確な居場所は？』

ダメ元で聞いてみた。

「知りませんなぁ」

ダメだった。

『じゃあいいよ。他の人に聞くから』

「儂は断固として反対ですぞ！　たとえ貧《ひん》しても失ってはならぬ誇りというものが――」

意地になって叫び続ける長老の家を後にする。

しかし、血管切れないと良いけどな。長老も歳なんだし、あまり血圧が高くなるような状態は健康によろしくないと思うのだが……。

ちなみに、長老は６００歳ほどと聞いている。

『セフィはドワーフの里がある場所、知ってるか？』

里の中をセフィに抱えられて移動しつつ聞いてみる。

里の住民たちは皆、引っ越しの準備に追われて忙しそうに動き回っていた。

「んー、しらないー」

『だよなぁ』

ドワーフとも会った事はないらしいし、まあ、当然か。

『じゃあ、適当に聞いてみるか』

というわけで、物知りそうなローレルが里の広場にいたので、聞いてみる事にした。

彼は何やら木材やロープなどを運び、住民たちの家を補強する手伝いをしていたようだ。

いや、引っ越しの際はかなり「揺れる」と伝えておいたので、建物などは壊れないように補強が必要なのである。

『おーい、ローレル！』

「おや、姫様、精霊様。どうしました？」

俺たちに気づいたローレルは作業の手を一旦止めて、こちらへ近づいてきた。

『いや、ローレルならドワーフの里の場所を知らないかと思ってな』

「ドワーフの里の場所ですか？　知っていますが、まさか……」

それだけで気づいたらしい。

懸念は、ローレルも長老のようにドワーフを毛嫌いしていたら——という事だ。

もしもエルフたちの大半がドワーフなどと一緒には暮らせない、というならば、流石に引っ越し先の候補としては考え直さざるを得ない。

『うん、まあ、そのまさかなんだけどね。ローレルはどう思う？』

「私は構わないと思いますよ」

しかし、ローレルはドワーフたちに対する嫌悪感もなさそうであった。

こちらが拍子抜けするほど、あっさりと頷く。

『いいのか？』

「ええ、意外ですか？」

『まあね。さっき長老と話してたんだが、すげぇ嫌ってたからさ』

「ああ、ドワーフを嫌っているのは老人方に多いのですよ。実は私を始め、比較的若いエルフたちはドワーフと会った事がなく、それほど嫌っているわけではありません」

どうやらローレルもドワーフと会ったことはないらしい。

そりゃあ、会った事もない奴をそれほど嫌う事は、なかなかできないよな。

『でも、場所は知ってるんだよな？』

「大まかですが。それにヴォルフ殿などは実際にドワーフの里に行った事もあるはずですし、彼に聞けば迷う事もないかと」

『そうなの？』

「はい、私たちよりも狼人族の方がドワーフとは交流があったはずですからね」

『ふむ……』

なら、場所については問題なしか。

しかし……と、ここに来て、とある疑問が浮かんできた。

『アルヴヘイムを失った時、最初からドワーフたちと合流しようとは思わなかったのか？』

好き嫌いを抜きにして考えれば、その方がここよりも安全だと思うのだが。教国からの距離的にね。

「ああ、その時はここでも十分離れているし、問題ないと考えていましたから。人族がそうそう踏破できる距離ではないですしね」

『ふむ、だけど、それだけが理由じゃなさそうだな？』

苦笑いしながら言うローレルを見ていれば分かる。

「ええ、お察しの通りで。ウチの老人方がドワーフを嫌いなのもあるのですけれど、ドワーフたちにも受け入れてもらえないか、聞いてはみたのですよ」

一応は、ドワーフたちに話を持っていったわけなのか。

『でも、今いっしょに暮らしていないって事は……』

「まあ、ドワーフたちにも私たちエルフを嫌っている者は多いようで、断られました」

『んー、そっかぁー……』

互いに嫌い合っていれば、そうなるよな。

「それで、ドワーフの里に向かうのは良いのですけれど、精霊様には受け入れてもらう策はあるのですか？」

『ふむん』

普通に向かったところで、断られるのが道理。

だがしかし、長老の話からドワーフというのがどういう存在かは理解できた。俺の「知識」にあったのと、だいたい似たようなもんだろう。

となれば、どうにかする術はあると思う。

それも、確実と言っても良いくらいの策である。
俺はにやりと自信あり気に笑みを浮かべて、言った。
『俺に任せとけ！』

第四十一話　どらしるけーたいっ！

里を襲った傭兵たちを撃退してから、一週間が経過した。

その間、結局他の狼人族がやって来ることはなかった。

里の住民たちは手分けして食料集めや住居の補強などに奔走し、俺自身も色々とやるべき事を行った。

まあ、ドワーフの隠れ里を知るというヴォルフには、狼人族の足でもここから一月近くは掛かるだろうと言われた。

場所は今いる場所から北西へ向かった霊峰の麓らしい。

とはいえ、深い森の中を行くのとは違い、今回の引っ越しは目的地に向かって「ほぼ真っ直ぐ」進むことになる。

進む速さも、おそらくは人の足よりは大分速いはずで、一月もかからず目的地には到着すると思われる。

それが正確にどのくらいかかるのかは分からないが、食料は問題ないだろう。

一月食い繋ぐほどの食料を確保したわけではないが、道中で狩りをする事もできるだろうし、何よりいよいよとなれば俺が食料を生み出す事もできる。

流石に里の全住人分を一月も生み出すことはできないが、足りない分を補うくらいなら可能だろう。

なので、きっかり一週間待った翌日、その早朝。

すでに出発の準備は整い、全ての住人たちは念のため、里の中央にある広場へ集まっていた。

広場にある俺の本体の根本にはセフィが仁王立ちし、集まった住人たちに向けて出発の号令を出す。

「じゃあ、みんな、いくよーっ!!」

「「「おおーっ!!」」」

と元気良く返事が返ってくる。

うむ、と満足気に頷いたセフィは、傍らに浮いている俺に告げる。

「ユグ、じゅんびできた！」

『おう、じゃあやるぞ！』

「うん！　ユグ、どらしるけーたいっ！」

『え？　なんて？』

「ユグ！　どらしるけーたいっ！」

『え？』

何か唐突にセフィが叫んだが、「どらしるけーたい」が何なのかは不明だ。

俺が疑問を発していると、傍で聞いていた長老が解説してくれた。

「ドラシルとは、古い言葉で馬を意味する言葉ですな」

『馬？　ああ、うん……全然馬ではないと思うけど、セフィが言いたい事はだいたいわかった』

どうやらセフィは「ドラシル形態」と言っていたらしい。

まあ、載せて動くという点では馬と似ていると言えなくもないか。

「ユグ！　どらしるけーたいっ！」

『はいはい……俺、ドラシル形態ッ！』

セフィの言外の要求に負けて、恥ずかしいが叫んだ。

するとようやくセフィが満足そうに頷いたのを確認して、俺は精霊体をいったん本体たる大樹へ収納した。それから自らの体を動かすべく、隅々にまで意識を這わせる。

今の俺は以前とは違う形をしていた。

エルフの里全体と一体化しているのは変わらない。

けれどその地下では、大いなる変貌を遂げていたのだ。

まず、里の大樹たちと融合したことで大幅に増えた根。

これをこの一週間、地下茎の多くを消費しながらさらに成長させていた。

とはいえ、より深く、より広範囲に伸ばしたわけではない。

エルフの里全体を下から包むようなお椀型になるように、かつ容易には崩れないよう根と根を編み込むようにして育て、変形させていたのだ。

これで土台は完成だが、これだけでは何の意味もない。

この土台を持ち上げて、動かすための「脚」が必要だ。

俺はお椀型の土台の左右から四本ずつ、計八本の長く太く強靱《きょうじん》に編み込んだ根を生やしていた。

この八本の根――「脚」を動かす。

まずは里全体を載せた土台ごと持ち上げるように。

もちろん、普通に動かそうとしたところで、里全体を支える超重量の土台を、八本の脚で持ち上げる事などできない。

なので植物魔法と無属性魔法の「身体能力強化」を駆使する。

本当なら【生命力】を消費して行使する「闘気」とやらも使えたら、もっと楽なのだろうが、残念ながら使い方が分からない上に、そもそも普通に動くだけで人より遥かに多くの【生命力】を消費する種族だ。

なので、元から「闘気」を使うのは無理だろう。

しかし、植物魔法と「身体能力強化」の補助だけでも、どうにか「立ち上がる」ことができた。

「「「お、おお～!!」」」

里の全体が地震の如く鳴動する。

里の外に生えている森の木々が、まるで地に沈んでいくかのように下降していく。

真実は森が沈んでいるのではなく、里自体が上昇しているのだが。

そうしてしばらく、揺れがおさまる。

『ふぅ〜、成功したか』

どうにか「立ち上がる」事に成功した。

もしも進化前であれば、おそらく俺だけでは里を持ち上げるなど不可能だっただろう。だから最初はセフィの植物魔法で補助してもらおうと考えていた。

しかし、進化した事によって俺だけでも里を持ち上げることができるようになったのだ。

その巨大さに目を瞑《つむ》れば今の俺は、まるで蜘蛛《くも》のように見えるだろう。

八本の脚で里という巨大な胴体を支える、巨大な蜘蛛だ。

もう説明するまでもないと思うが、このまま俺が歩くことによって里ごと目的地へ移動するのが、里の大樹たちも含めて全員で引っ越すための秘策であったのだ。

こうして移動するに当たって、俺は里の周囲に展開させていた量産型ゴー君たちを全て『魂無キ狂戦上ノ館』へ「格納」した。

ゴー君1、2、3号などの、自我が芽生えているゴー君たち十数体は、すでに里の中に入っている。

なので、あとはこのまま移動すれば良い——のだが、この巨体で進むとなれば、ヴァラス大樹海の木々を薙《な》ぎ倒しながら進むことになる。

教国がここまで戦力を差し向けて来るかは分からないし、それが何時になるかも不明だが、盛大に「足跡」を残して進めば俺たちの後を追う事は容易いだろう。

それは不味いので、

『よっし、じゃあ後はセフィ、任せて良いか？』

「セフィにおまかせ！」

聞けば、セフィはどんっと自らの胸を叩いてドヤ顔した。

ここから先も打ち合わせ済みだが、かなりの力業になる。しかも俺ではなく、セフィによる力業だ。

『じゃあ、さっそく上に来てくれ』

「うん！」

しゅるりっと、本体の枝の一部を長い蔦へ『変異』させて、セフィがいるところまで垂らす。

セフィが蔦を掴んだところで、俺は蔦を引き上げ、セフィを俺の枝の上まで登らせた。

「ふわー！　たかー！」

枝の上まで来たセフィは、そこからの景色を見渡して声高く叫んだ。

今や里一番の大樹となった俺の枝の上から、しかも現在はただでさえ「立ち上がっている」から視界は高い。

普段から高い場所に住んでいるセフィではあるが、樹海の木々を遥か眼下に見下ろせる光景は、初めて経験するものであっただろう。

晴天の空の下、緑色の絨毯が遥か先まで広がっている光景は、まるで見知らぬ地に放り出されたようにも思える。

「よしっ、じゃあ、いきます！」

『おう！』

びっと、なぜか右手を上げてセフィが宣言した。

そしてすぐに、セフィの体に膨大な魔力が集まり始める。

森を司る自然神であるセフィは、森にいる限りにおいて、森から無尽蔵に魔力の供給を受ける事ができる。

人の身では御し得ないほど膨大な魔力は、魔法として紡がれずとも、発光という現象を引き起こす。

淡い光がセフィの全身を覆った。

それは炎の魔人を相手にした時と同じ光景だ。

「――」

すぅっと、セフィが大きく息を吸い、口の横に両手を添えるように当て、

「みんなーっ！　ちょっとどいてぇーっ!!」

声と共に膨大な魔力が空気に乗って発された。

それは里の北西――ドワーフたちの里へ向かう進行方向に降り注ぐ。

と、セフィが声を発してから10秒くらいの間を開けて、地響きのような音が響いた。

見れば、樹海に生える木々がまるでトレントにでもなったかのように動き出し、緑の絨毯に亀裂

が入るように一本の道が生まれたのだ。

まさにセフィの言葉通り、「みんなちょっとどいて」くれたのである。

俺は八本の脚を慎重に動かして、セフィによって作られた巨大な道へ踏み出した。

土台である里を水平に保つよう、できる限り揺らさないよう、一本ずつ脚を動かして歩いていく。

こうして進んだ後は、必要のなくなった道をセフィの魔法で元に戻してもらうという寸法だった。

そうすれば、たとえ教国が追撃に軍やら騎士団やらを派遣しても、俺たちがどこへ行ったか容易には分からないだろう。しかし――、

「ユグ、おそいよ？」

『ちょっ、いまっ、話し、かけないで、くれ！』

当然ながら、俺に八本の脚を操って歩いた経験などないわけで、最初は亀の歩みのごとくになってしまうのは仕方ない。

だが、続けていれば徐々に慣れていくだろう。

しばらくかけて、里のあった場所から、俺の体が全て出た。

ここまで10分近くかかっている。これが速いのか遅いのかは分からないが、慣れればもっと速く動くことは可能だろう。

『ふむ……そういやこの穴、どうするかな……』

俺の背後には擂り鉢状に抉《えぐ》れた大地が姿を現しており、まるでクレーターだ。

とはいえ、誰かがこれだけを目撃したところで、いったい何があったのかを正確に把握すること

はできないだろう。セフィの力を使えばこの巨大な穴を塞ぐことも可能だろうが、周囲から樹木をクレーターに移動させると周辺の木々が少なくなり、やはり痕跡が残る。おまけにちょっと抉れた土を元に戻すことはできないし、これも見る者が見れば異変に気づくだろう。新しく木々を生やすこともできると思うが、元々あるのを利用するのと違って、それをすると今度は時間が掛かり過ぎる。

　果たして出発を遅らせてまで隠蔽する必要があるのか。

『うーむ……、俺たちが進む道は元に戻すんだし、ここだけ見ても何処に行ったかは分からないよな?』

　俺はそう判断すると、クレーターをそのままに、さっさと先へ進むことに決めた。

『よしっ、行くぞ!』

「おー!」

【SIDE：イコー教国】ファイア・メイカー

神聖イコー教国、北部大司教区、聖都シンカ。

柔らかな日差しをキラキラと反射する純白の建物が建ち並び、人々は異教徒にも異種族にも、そして魔物の脅威にも怯える必要なく、心穏やかな平和を享受している。

人族という立場のみから聖都シンカを眺めた時、そこは多くの他国人や他種族にとって意外なことに、実に平和な国に見えた。それどころか白い漆喰を塗られた家々が建ち並ぶ様子は美しく、どこか神聖な印象さえ抱かせるだろう。

そんな都市の中央に聳《そび》える巨大な白亜の神殿は、しかし教国という名に反して宗教施設ではなかった。

この大神殿では、如何《いか》なる宗教的儀式も祭事も行われることはない。

では何のためにあるのか？

神殿――その言葉通り、ここは神の家なのだ。

教国が誇る七柱の偉大なる神々、その一柱である炎神ファイア・メイカーが住まう場所。

そんな畏《おそ》れ多い建物の一画を、葬炎騎士団団長たるディラン・ウォルターは歩いていた。

美しくも表情のない男である。その無表情がそう思わせるのか、20代のようにも30代のようにも見える年齢不詳な男だ。

後ろへ撫で付けた金髪と氷のような冷たさを宿す青い瞳。

どこか人間離れした美貌の騎士団長は、しかしその外面に反して重苦しい緊張に襲われていた。

彼の「主」である炎神との謁見が待っているからだ。

これはディランが望んだわけではない。主である炎神からディランへ呼び出しがあったのだ。

聖炎騎士団や葬炎騎士団、あるいは大司教を始めとする高位聖職者たちが炎神に謁見を願い出ることはあっても、炎神御自ら呼ばれることなど久しくないことであった。

なぜならば、かの神は俗世の運営に関して興味を抱いていない。それゆえに下々の者に対してあれこれと命じることも、ほとんどない。

そんな炎神がこの度ディランを呼んだ理由は、いったい何か？

事の始まりは、直属の部下である葬炎騎士カイ・ビッカースに任務を与えたことだ。

北部開拓に際して異教徒を「浄化」した際、その異教徒――狼人族が一様に北へ逃げて行ったのに不審を覚えたディランは、カイに狼人族が逃げ込む先を確認するよう任務を言い渡した。

狼人族の避難先に、エルフたちの隠れ里、ないしはハイエルフがいる可能性があったからである。

本来、このような調査任務に葬炎騎士を派遣することはない。それでも異教の神であるハイエルフが存在する可能性を考慮すれば、捨て置くことも、また下手な者に調査させることもできない。

カイ・ビッカースは若く精神的に未熟なところはあるが、それが必要とあれば自らの手を汚すことも厭《いと》わない男である。それゆえに、このような変則的な任務ならば他の騎士団員よりも、余程上手くこなせるだろうと判断した。

そしてカイに任務を言い渡したその日から――すでに一ヶ月余りが経過していた。

狼人族の避難先を確認し、報告のために戻って来る。

場所によっては数ヵ月かかる可能性はあるだろう。しかし、ヴァラス大樹海は魔物の巣窟であり、いくら強いとはいえ、人間である以上ただの魔物に不覚を取る可能性も否めない。

カイの状況がどうあれ、生存確認ができるならばした方が良い。

そして、カイがどこに居ようとも生存を知ることができる存在が、聖都にはいる。

聖炎騎士団員ならびに葬炎騎士団員の「主」たる炎神のことである。

両騎士団員は例外なく炎神の「眷属」であり、主とは特別な繋がりがある。その繋がりを意識すれば、自らの眷属が生きているか死んでいるかを確認することができるのだ。

つまり、炎神がわざわざ葬炎騎士団の長たるディランを呼んだということは……。

「…………」

半ば、部下の末路について確信しつつも、ディランの表情に悔恨の念は浮かばない。すべてはこの後、つまびらかにされるであろう。

大神殿の廊下を案内役の神官について歩きながら進んでいく。神殿の中は静かだが、それは神聖な場所であるから、というような理由ではない。単に広さに対して中にいる人の数が少ないからだ。

「ウォルター卿、到着いたしました。中で我らが神がお待ちです」

程なくして、重厚な木製扉の前に辿り着く。

両開きの大きな扉だが、中に続くのは謁見のための広間などではない。

ディランは憂鬱な感情を隠しながらも、扉の脇に控える神官に頷きを返す。

「承知した。案内、感謝する」

それから意を決して扉の前に立ち、扉をノックした。

すると僅かに扉が開き、中から側仕えの女神官が姿を現す。肌が透けそうなほどに薄い神官衣を纏った、若い女である。

用向きはすでに伝わっているはずだが、それでも儀礼的に謁見の許可を請う。

「葬炎騎士団団長、および眷属第三位、ディラン・ウォルター、我が神に謁見の許可を願いたい」

「確認して参ります……少々お待ちください」

一度扉が閉められ、少しの時間を置いて再び開けられる。先ほどの女神官は頷きと共に入室を許可した。

大きく開けられた扉から静かに入室する。毛足の長い絨毯がディランの靴底を包む。何となく頼りないような感覚を無視して、ディランはすぐさまその場に跪《ひざまず》き、頭を垂れた。

室内に充満する甘ったるい香の匂いを極力吸い込まないように意識しながら口を開いた。

「御前に失礼いたします、我が神よ」

返答は意外にもすぐだった。

神という言葉から連想される神聖さはない。

だが、自信と覇気に満ち溢れたような男の声。

「おう、久しぶりだな、ディラン」

「ハッ、偉大なる御身に拝謁の栄を賜り、まことに恐悦――」

「ああ、良い良い。そういう堅っ苦しいのは面倒くせぇから。さっさと顔上げて立てよ」

「……ハッ、それでは、失礼いたします」

何度も同じようなやり取りは経験したことがある。

それゆえに宮廷作法のような面倒な恐縮の仕方をすることもなく、ディランはすぐに顔を上げて立ち上がった。

そこは全面に絨毯が敷かれた広い部屋だった。

だが調度品の類いは少なく、目立つのは部屋の中央にある特注の巨大なベッドだけだ。

その上に、彼の主たる炎神はいた。

辛うじて下半身はシーツで隠されているが、上半身は裸だ。

神とはいえ異形というわけではない。

姿形は完全に人と同じだった。それも当然で、今の姿は本来肉体を持たない炎神がこの世に安定して存在するための依り代に過ぎない。

炎神の姿は2メートル近い筋骨隆々とした大男のもので、褐色の肌に炎のような形のアザが全身に走っている。墨を入れたわけではなく、白色をしたそれは入れ墨ではない。

髪の色は燃え尽きたような灰色で、野性味溢れる精悍な顔立ちをしている。瞳は紅玉のように鮮烈な紅色をしていた。

そんな炎神は両隣どころか巨大なベッドの上に、肌も露《あらわ》な女たちを何人も侍《はべ》らせていた。

手にした煙管を吸い、ぷかりと煙を吐き出す。

吸っているのは単なる煙草などではないだろう。室内に焚かれた香のように、精神に強く作用する類いの麻薬だ。

（以前の物は飽きられたようだな……）

炎神が吐き出した煙の香りが、以前拝謁した折に嗅いだ物とは違うことを、ディランは意識の隅で僅かに思考した。

炎神ファイア・メイカー。

神聖イコー教国に降臨した七柱の神々の一柱。属性を司る属性神であり、自然を司る自然神でも、ましてやラグナロク以前の古き神々でもない。「新神」――と、そう呼ばれるように、主神イコーを除いた教国の神々は現代の人々の信仰によって生まれた新しき神々なのだ。

まだこの世界に人の肉体――依り代をもって降臨してから、20年ほどしか経っていない。

それゆえだろうか。神々は肉体がもたらす快楽に夢中になっていた。

退廃的な肉の快楽、麻薬の快楽だけではない。それぞれの神々が今では美食を求めたり、惰眠を貪《むさぼ》ったり、あるいは暴力的な欲求に魅入られたりしている。

新神たちの精神が人の肉体が持つ欲望を超越するほどに成熟するには、今暫くの時間を要するだろう。

（まあ、教皇や大司教たちは、神々に成長など求めていないのだろうが、な……）

だが、ディランは心の中でそう想像する。

新神たちに際限無い贅沢品や嗜好品が献上されるのは、何も神々が求めるからという理由だけではない。神々が肉の欲望に夢中になり、俗世の支配や運営――政治などに興味が向かないようにする方が、教皇たちにとっては国を支配する上で都合が良いからだ。

（とはいえ、神々を都合良く操るなど、出来るとは思えんが……）

神の意思を拒否することなど、人の身にできることではない。いずれは権力に執着する教皇や大司教たちも、そのことを手酷いしっぺ返しと共に思い知ることになるだろう。

ディランが密かにそんなことを考えていると――、

「誰かは知らねぇが――」

炎神が前口上もなしに本題を語り始めた。

「お前んところの団員が、一人死んだぜ」

「……はい」

現在、ディランが所在を把握していない団員は、ただ一人だけだ。

ゆえに、炎神の言葉を聞いても衝撃は少ない。やはり、という納得があっただけだが……しかし、後に続いたセリフには少々の驚きと懸念を覚えざるを得なかった。

「しかも、だ。どうやら俺の力を借りた上で殺されたらしい」

真ですか？　――などという間抜けな問いを発するつもりはない。それでも常に冷徹な無表情を崩さぬディランの面に、この時ばかりは「信じられない」というような表情が浮かんだ。

その顔を見て、炎神が面白そうにニヤリと笑う。

「ははっ、流石のお前も驚くか」

「いえ……」

と答えつつも、これには驚愕せざるを得ない。

カイが向かったのはヴァラス大樹海。魔境と呼ばれる魔物が多い場所ではあれど、炎神の眷属としてそのままの意味で「人外」の力を宿したカイを倒し得る魔物などいるはずもなかった。加えて炎神から力を借り受けた上で倒されるなど、普通は考えられない。炎神の力に耐えられず、肉体が自壊するならまだしも……と、そこまで考えて、ディランはさらなる驚愕に見舞われた。

この男にしては非常に珍しいことに、恐る恐るといった調子で問う。

「我が神よ……今、殺された、と仰いましたか？」

「お、気づいたか？」

炎神がさらに面白そうに笑む。まるで獰猛な獣が遊び相手を見つけたかのように。

「俺の眷属なら、最上位の祝福を与えても死ぬまで1時間は猶予があるはずだ。だが、今回は祝福を与えて死ぬまで数分だったからなぁ。まず間違いなく、殺されたんだろうよ」

炎神の眷属たる葬炎騎士には、自らの命を代償として主である炎神から力を借りる——つまりは大きな祝福を得ることができる。その時の騎士はまさに一騎当千《いっきとうせん》、万夫不当《ばんぷふとう》に値する力を持つ。ゆえに「殺された」など信じ難い。

だからこそ、なぜ、わざわざ自身が呼ばれたのかをディランは理解した。

葬炎騎士が一人死んだ程度では、炎神自らが呼ぶ理由にはならないのだ。だが、葬炎騎士が炎神から力を借りた上で殺されたのだとすれば、炎神自らがディランを呼ぶ理由になるだろう。とても放置することはできない——という、自国の防衛観点からもそうであるし、何より……、

「ディラン、お前をわざわざ呼んだのは、そこんところを詳しく聞きたかったからよ。誰が俺の眷属を殺したんだ？」

楽しそうに笑いながら瞳をぎらつかせる炎神を見れば、一目瞭然だろう。

己の眷属を殺したという相手に、興味を抱いたのだ。楽しい「遊び」相手になるかもしれないから。

「この度死んだ騎士、カイにはエルフの隠れ里を探らせておりました」

と、ディランは炎神に報告する。それがそのまま答えでもあった。

「ほぉう、なるほど？　いくら魔法に長けているとはいえ、普通のエルフごときにゃあ、何人集まろうが俺の眷属を殺せるわけがねぇ」

森の民であるエルフは、基本的には火属性を持つ炎神の眷属と相性が悪い。水魔法の使い手もいるだろうが、複数の属性を持つがゆえに、特化した水魔法の使い手からは大きく劣るという欠点もある。炎神の眷属を相手にしては、まさに焼け石に水でしかない。

「と、なるとだ……新しいのが生まれたか」

「恐らくは」

普通のエルフが倒せないならば、普通じゃないエルフがいるに違いない。

すなわち――代替わりしたハイエルフだ。

ハイエルフは森を司る自然神であり、炎を司る炎神にとっても軽視できる存在ではない。とはいえ、数千年を生きていた先代ハイエルフとは違い、生まれたばかりのハイエルフならば、神の領域からすれば赤子のような力しか持たないはず。かつてのように六神で攻める必要もなく、炎神だけで一捻《ひとひね》りだろう。

「おい、ディラン、死んだ奴がどこに行ったか、お前は把握してんのか？」

「どちらへ進んだか、報告は受けております。出発から死んだ時までの日数を加味すれば、おおよその場所は割り出せるかと」

「そうか」

炎神に悩む様子はなかった。

ディランの返答を聞くと、まるで散歩にでも行くかのような気楽な調子で宣言したのだ。

「んじゃあ、ちょっと行って叩き潰して来るか」

「――御意」

炎神の決定に異を唱える権利など、ディランにはない。

ただ恭しく頭を垂れ――それでも、僅かばかりの懸念から炎神に問う。

「他の神々には？」

「俺だけで十分だろ？　それに他の奴らが来るまで待って、どっかに逃げられたら面倒だ」

炎神の言葉は慢心などではない。

先代ハイエルフならばともかく、代替わりしたばかりのハイエルフなど炎神の敵にはならないだろう。

「承知いたしました」

ディランもそう判断したから、それ以上の言葉はなく、ただ淡々と新たなハイエルフの討滅は決定された。


大神殿から聖都シンカにある葬炎騎士団本部の砦に戻ると、ディランは団長執務室に配下の騎士を二人呼んだ。

執務机を挟んで立つ二人の騎士に、彼は此度の事情を説明した上で、一つの任務を言い渡す。

「ヴァラス大樹海に入り、カイ・ビッカースが消息を絶った周辺を探れ。もしも敵対勢力を見つけても、戦闘はせずに監視、もしくは追跡に専念せよ。敵対勢力がいた場合、我らが神が直々に始末することになる」

「「ハッ！」」

ディランは炎神が直々に動くと決めた時から、すぐには出発できないだろうと推測していた。教国は比類無き大国であり、その象徴にして精神的支柱である神が気軽に動けるわけがないのだ。実際に炎神がシンカを離れるまでには、準備を含めてそれなりの日数がかかるだろうと。

それゆえ、後手に回ってカイを殺した何者かが万が一移動した場合、その消息を見失ってしまうことも考えられた。

しかしながら、かと言ってカイと同じように徒歩で大樹海を移動した場合、これにも時間がかかる。カイが死んだと思われる場所まで一月も要したのでは、葬炎騎士を斥候《せっこう》に派遣する意味がない。

とはいえ、前回のようにいるかいないかも分からない存在に対して、試しに騎士を派遣するのとは訳が違う。そこに敵勢力がいると知っているならば、徒歩ではない別の手段を使用することができる。

「……騎竜の使用を許可する」

「「ハッ！　了解いたしました！」」

これで万が一への布石は打った。

そうして、命じられた二人の騎士は素早く準備を整えると、命じられた翌々日にはヴァラス大樹海へ向けて旅立つことになる。

第四十二話　森を行く

セフィの魔法によって森の中に巨大な道が生まれていく。

その巨大な道を、里を丸々載せて動く巨大な蜘蛛みたいな外観となった俺が、ゆっくりと進んでいく。

ゆっくりとはいえ、今の俺は大抵の生物より遥かに巨大な存在だ。

蠢《うごめ》く八本の脚が生み出す歩幅は広く、たぶん平地を行く馬車くらいの速度は出ているのではあるまいか。

それにここ最近、ずっとこの姿で歩き続けているためか、八本の脚を操るのにも慣れてきた。その分、速度も最初の頃より多少上がっていると思う。

さて。

俺が進むのはヴァラス大樹海の奥地であり、まっすぐ北ではなく北西へ向かう道ではあるが、霊峰フリズスへ近づいて行くのには変わりない。

霊峰フリズスは一般的に、魔素が濃いために生息する魔物が強いことで知られている。

それはヴァラス大樹海の奥地であっても同じことで、進めば進むだけ遭遇する魔物の強さは上がっていくのだ。

とはいえ、だ。

今の俺の巨大さといったら、正直生物の範疇に含めて良いものか疑問を覚えるほどに巨大だ。

周囲に生える巨木よりも遥かに背が高く、横幅はそれ以上に広い生物が歩いているのだ。

森に住まう魔物と比べたら、その大きさの違いは巨大建造物と人間くらいの違いである。

そんな圧倒的に巨大な生物を襲うような、馬鹿な魔物がいるはずもない。

実際、里ごと移動を開始してから一週間、俺を襲うような命知らずは存在しなかった。

だが、流石は魔境とも称される場所である。

出発からちょうど一週間を過ぎた辺りであろうか。

地を行く魔物たちは依然として俺を襲う事はなく、むしろ近づけば逃げていくものばかりだ。

しかし、空を行く魔物は例外であるらしい。

大空を悠々と泳ぐように飛翔するそいつは、俺を――いや、正確には俺の上に載っている里、そこに住まうエルフや狼人族たちを見つけると、良い餌だとばかりに襲いかかって来たのである。

その魔物の名前は「ワイバーン」と言った。

竜としては小柄で細身な体格で、強さも属性竜と呼ばれる存在と比べればまだまだ弱い。

竜の代名詞とも言える「ドラゴンブレス」を吐く事はできず、攻撃はもっぱら鋭い爪の一撃や噛みつき、長い尻尾の先にある毒針などで行う。

長老が言うには、属性竜と比べれば可愛らしいものだとか。

だが、弱いとはいっても、それは竜というカテゴリの中では――の話だ。

飛竜種、または下位竜種と呼ばれるワイバーンの強さは、タイラントベアーすら餌とするほど。

弱いわけがなかった。

『ワイバーンにはセフィの威光は効かないのか？』

ワイバーンの襲来をいち早く察知したセフィは、俺の本体たる大樹の枝に登り、むむぅっと険しい表情で、接近するワイバーンを睨んでいる。

今は俺の一部となった里の大樹たちやセフィの存在は、周囲へ忌避《きひ》結界と同様の効果を撒き散らすらしく、以前いた場所では上位の魔物が襲いかかって来ることはなかった。

ワイバーンも間違いなく上位の魔物なので、忌避結界の効果は発揮されると思うのだが。

「うごいてると、あんまりきかない。おなじばしょにずっといると、すごくきくようになる」

どうにも忌避結界の効果は動くと弱まってしまうようだ。逆に同じ場所に留まり続けることで効果は強まっていく――と。

『なら、撃退するしかないわけか』

実はいつ戦闘になっても良いように、里の外周に生やしていた樹木を「筒」へと変化させているのだ。

なので以前のように「ウォーターカッター」を放つのに長時間の準備をする必要もない。

俺は向かってくるワイバーンに一番近い場所の「筒」を、筒に繋がった根を操ることで動かす。

筒の先端に開いた穴――つまりは砲口を標的へ向けて照準し、鱗の一枚一枚が鮮明に見えるくら

いまで引きつける。そして――、

「ギャアァオオウウッ!!」

けたたましく咆哮するワイバーンへ超高圧の水流を放ち、それから両断するような軌道を描いた。

――ばづんッ！

という音と共に、空を舞う巨体があっさりと両断される。

大量の鮮血を撒き散らしながら落下するワイバーンの骸《むくろ》を、

『おっと』

里の外周に生える茨を操り、森へ落下する前に慌てて回収した。

ワイバーンの肉は食えるという話だったし、皮は防具に加工する事ができる――というか、竜種の体は捨てるところがなく、その全てが何らかの形で利用できる貴重品であるらしいのだ。

なので、森へ放置してしまうのは勿体ない。

「おお～！　ユグ、おみごと！」

『ふっふっふっ！　まあな！』

セフィがパチパチと手を叩いて称賛してくれる。

ワイバーンを一撃だなんて、我ながらなかなかの強さだと自負している。

ちなみに回収したワイバーンは、肉は食肉へ加工され、皮は鞣《なめ》して色々な用途へ。牙と爪、毒針は武器の素材。毒腺と毒液、血と内臓の一部は薬の材料に、余った内臓と骨と魔石は俺の肥料になった。

とまぁ、このように魔物が襲って来るとは言っても、ワイバーンの一頭や二頭ごとき敵ではない。

なので俺たちは悠々と森の中を進んでいく。

恐れるものなど何もないのだ。

それから二日後。

『——いやいや、多すぎだから』

「すごぉー、むしみたいにいる」

北西へ向かって進めば進むほど、霊峰へ近づいて行くのは理解していた。

だから出現する魔物も、その数も増えるだろうと推測していた。

しかし、どうやら俺は、まだまだ霊峰フリズスという場所を舐めていたのかもしれない。

空を見ると、まさに雲霞《うんか》のごとく大量のワイバーンどもが飛翔していたのだ。

セフィが「虫みたい」と表現したが、まったく適切な表現だと思う。俺を中心にして空中を飛び交うワイバーンどもは、その数の多さから大量のバッタでも飛び交っているのかと錯覚するほどだ。

実際にはバッタなどより遥かに巨大なのだが。

とにもかくにも、放っておく事などできはしない。

奴らは確実に俺——というか、里の住民たちを餌として狙っているのだから。

こんなにもワイバーンが集まったのは、おそらく確実に、俺の姿が目立つためだろう。

だからこそ、ここまで異常な数——おそらく１００体以上——が集まったのだと思われる。

幻惑結界を使って、俺の姿を一時的に隠すことは可能だろう。

しかし、ここまでワイバーンどもに集められた状況でそうしても、ほとんど意味はない。奴ら完全にこっちをロックオンしてるしね。

それに幻惑結界で姿を隠したまま歩くのも難しいのだ。

「ウォーターカッター」を放つために予《あらかじ》め用意しておいた「筒」は12本ある。

里の外周に等間隔で配置している。

それらの全てを稼働させつつウォーターカッターを放ち続けているが、ワイバーンどもは怯む様子も逃げ帰る様子もない。

すでに十数頭は倒しているのだが、何だか減ったような気もしないのはどういう事だろうか。

ウォーターカッターの牽制のお陰か、まだ里への被害は出ていないが、それも時間の問題だろう。

相手が空を飛んでいなければ、狂戦士たちを全解放すればどうにでも出来るのだが。

「主様、私たちにお任せくださいませ」

「こういう時のための、私たち。主様はもっと頼るべき」

と、空を飛んでブリュンヒルドとエイルの二人がやって来た。

『いや、でも、二人で大丈夫なのか？』

対するワイバーンの数が問題だ。

とても二人でどうにか出来る数ではないと思うのだが。

「流石に二人だけで蹴散らせるとは、考えておりません」

「ゴー君たちにも、協力してもらって良い？」

現在、狂戦士にならずに残っているゴー君たちは15体しかいない。1号2号3号タイプが、それぞれ5体ずつの15体である。

当然ながら空を飛べるような能力を持った個体は皆無だ。ワイバーンたち相手にまともに戦えるとも思えないのだが、ブリュンヒルドとエイルには何やら考えがあるらしい。

『それは構わないけどさ……』

「ありがとうございます。では、主様とセフィちゃんは、こちらで観戦していてくださいな」

「じゃあ、行ってくる」

「ふたりとも、がんばってねーっ!!」

セフィの言葉に手を振り返した二人は、気負う様子も見せずにワイバーンたちへ向かって飛翔した。

ブリュンヒルドたちが負けるとは思わないが、数が数である。

どうするつもりかと見守る中、俺は異常に成長しているゴー君たちの実力を、目にする事になるのである。

第四十三話　注・ワイバーンは雑魚ではありません!

ブリュンヒルドたちは里の外へ向かって飛翔しながらも、何やら周囲へ向かって魔力を放射していた。

俺には聞こえていないが、おそらくは念話によってゴー君たちへ指示を出しているのだろう。

俺の眷属になった影響か、いつの間にか彼女たちもゴー君たちへ命令できるようになっていたのだ。

『あれは……誘惑効果付きの毒林檎か?』

「わいばーんたち、めっちゃあつまってきてる」

里の外縁、茨の壁がある辺りから突如として太く長い蔦が飛び出すように伸びていった。

最初は蔦でワイバーンたちを拘束するつもりかと思ったが、どうにも違う。伸ばした蔦をワイバーンたちが余裕をもって回避した後も、蔦はピンっと伸びきったまま、その先端を空中に固定しているのだ。

その蔦の数は、里の外縁からほぼ等間隔に5つ伸びている。

ゴー君3号を含めて、蔦型のゴーレムの数は5体だから、その数と一致しているな——とか考えている内に、伸びた蔦の先端に真っ赤な果実が実っていく。

つやつやと瑞々しく紅く輝く林檎。

それを目にした途端、周囲を飛び交っていた無数のワイバーンたちが、まるで肉を前にした餓えた犬か何かのように、凄まじい勢いで林檎目掛けて飛びかかっていく。

とはいえ、蔦の先端に林檎は一つしかない。

一塊となったワイバーンたちは、林檎を口にできたものも、そうでないものも、すぐさまバラけようとして――、

『お、おお……！』

突如として俺の感覚に、こそばゆいような感触が生じる。

それはもしかしたら、体表を撫でられる感覚に近いのかもしれない。

里の外周。茨の壁の中に紛れていた茨型のゴー君たちが動き出したのだ。

茨は空中に伸ばされた蔦を這うようにして、恐ろしい速さでワイバーンたちに迫る。

波濤《はとう》のように蔦を侵食しつつ、その先端近くに到達した茨は、まるで一塊となったワイバーンたちを喰らうかのように、大きく広がった。

ワイバーンたちが逃げようとするよりも速い。

茨は集まったワイバーンたちを、一つの塊として拘束してしまったのだ。

「ふおー！　しゅごいっ！」

セフィが目を輝かせて歓声を上げる。

だが、拘束しただけでは倒した事にはならないだろう。おまけにワイバーンたちは激しく暴れており、今にも茨の拘束を破りそうだ。

『ゴー君1号と、近接系のゴー君たちか……』

しかし、すかさず新たなゴー君たちが、ワイバーンを捕らえる茨の根本に現れる。

ゴー君1号を筆頭とした近接系のウッドゴーレムたちだ。

1号は言うまでもなく、それぞれが手に木製の武器――俺が与えたミストルティンを握っていた。

『1体ずつ倒していくのか？　間に合わないと思うが……』

近接系のゴー君たちに、範囲攻撃可能な攻撃手段などはない。

今は一塊に纏まっているとはいえ、そこそこ巨体のワイバーンの集合体だ。茨に拘束されて球体になっているワイバーンたちは、かなりの大きさなのである。

ワイバーンに比べて小さな木剣で攻撃していては、拘束が解かれるまでに全てを倒す事などできないであろう。

しかし、そんな事は関係ないとばかりに、現れたゴー君たちは高々と跳躍。

伸ばされた茨の上に乗ると、その上をワイバーンたちへ向かって疾走し始めた。

同時、走りながらも各自右手に握った大剣状のミストルティンへ、凄まじい量の魔力を注いでいく。

『え、嘘だろ、おい……そんな事できるんだ』

目の前で起きた光景に、俺は驚愕した。

近接系ゴー君たちは疾走の勢いそのままに、ワイバーンたちへ大剣を突き込んだ。

その威力は凄まじく、大剣の根本近くまで易々《やすやす》と埋まっている。なるほど確かにワイバーンを殺し得る威力であった。

だが、それでも大剣で倒せるのは1頭のみであろう。大剣が当たっていないワイバーンたちには、何のダメージもない……。

そう思った次の瞬間である。

一塊となったワイバーンたちが凄まじい苦鳴をあげた。

どデカイ球体のあちこちから、無数の鋭い棘が飛び出し、溢れ出した鮮血が滝のように遥か眼下の森へ降り注いでいったのだ。

飛び出て来た無数の棘は、もちろん茨の棘ではない。

その色は鈍く照り輝く黒色で、間違いなくゴー君たちが持つミストルティンと同色。

つまり、ワイバーンに突き込まれたミストルティンが、巨大な玉の内部で勢いよく変形し、無数の棘と化してワイバーンたちを貫いたのだろう。

ゴー君たちばかりではなく、使い込まれたミストルティンたちも成長していた証であった。

「すごー、さすがゴーくんたち」

『ああ。だけど、まだまだ残ってるな。諦める気配もないし』

茨のゴー君が、拘束していたワイバーンたちを解放すると、奴らの軀は重力に引かれて森に落下していった。

　計五ヶ所でワイバーンたちを一網打尽にして、おそらく50体以上は屠《ほふ》っている。しかし、空中を舞うワイバーンたちは明らかに数は減っているものの、まだまだいる。

　どうするつもりかと見守っていると、伸ばしたままだった蔦の先端に、先ほどと同じ林檎がもう一度実った。

「さっきよりすくない」

『奴らも馬鹿じゃないって事だな』

　いくら強力な誘惑効果付きの林檎とはいえ、目の前でその効果と罠にかかった結果を見せられれば、さすがに理性が働くようだ。

　それでもさっきの半分くらいとはいえ、本能に負けて林檎へ飛びつく奴らがいるのだから、誘惑林檎の効果が強力なのが分かる。

　飛びかかったワイバーンたちが密集したところで、またしても茨が喰らいつくように広がり、ワイバーンたちを纏めて拘束。

　そこへ近接系ゴー君たちがミストルティンを突き入れて、もう一度無数の棘へと変形させる。

　流れ出す大量の鮮血と、拘束を解かれて地面へ落下するワイバーンたち。

　これで最初の３分の１以下にまで、数は減ったであろうか。

『かなり警戒してるな。次は罠にかからないかもしれん』

　周囲を飛び交うワイバーンたちは少しばかり距離を取り、明らかに蔦と茨を警戒するようにして、里の周囲を旋回し始めた。

その警戒の強さは、次はもう誘惑林檎が効かないと思うに十分なほど。

しかし、里の外縁付近に浮かんでいるブリュンヒルドたちの近くに「視点」を移動させて見れば、彼女たちは自信ありげに微笑んでいた。

……いや、むしろ、どこかサディスティックな笑みであったかもしれない。


茨と蔦が形を変えた。

前へ向かって一本の槍のように突き出していた形から、網目状に展開するように広がっていく。

里の外縁から外へ向かって広がるように、茨と蔦で出来た網が構築される。それは重力に従って垂れるでもなく、地面と水平を保っていた。

その網の上に近接系のゴー君たちが乗り、構える。

要は足場を作った、という事だろう。しかし、

『ワイバーンたちは近づいて来ねぇな』

「ちょーけーかいしてる」

すでにワイバーンたちも茨と蔦が危険だという事を学習している。

近づけばまた捕らえられると想像するのは当然だし、誘惑効果付きの林檎も警戒しているのだろう。

しかし、足場を作っただけではないらしい。

「ゴーくんたちが、がったいした……!」

『合体ではないだろ』

セフィが感動したように呟いた言葉を、やんわりと否定しておく。

なぜか近接系のゴー君たちに、蔦型ゴー君たちが蔦の一本を巻き付けたのだ。

巻き付いた場所はゴー君の腰部分であり、まるで命綱のよう。

しかし、そこからゴー君たちに動きはなかった。

彼らに空中から指示を出していたブリュンヒルドたちが、遂に動き出したのだ。

二人は外縁の対角線上に位置したかと思うと、一気にワイバーンの群へと突っ込んだ。

手にしているのは、どちらも長大な槍だ。

彼女たちの武器は自由に変形する。空中で戦うにあたって、より間合いの広い剣から槍へと変形させたのだろう。

まるで一条の流星のように高速で飛翔しながら、当たるを幸いに槍を振り回す。

その一振り一振りが、容易くワイバーンたちを両断していく。

おそらく植物魔法に身体能力強化、闘気術も併用し、その上に彼女たち固有のスキル『英霊ヲ狩ル者』の効果も上乗せされているのだろうが——凄まじいばかりの強さだ。

まさに鎧袖一触《がいしゅういっしょく》とは、この事であろうか。

ちなみに闘気術は【生命力】を消費して身体能力を上昇させたり、闘気それ自体を攻撃に利用したりもできる。どちらかと言えば【生命力】が豊富にある戦士向きの技術だが、ブリュンヒルドたちはヴァルキリーとなった影響か、闘気術も巧みに使いこなすことができるようだ。

【生命力】を消費するという諸刃《もろは》の剣ではあれど、植物魔法に身体強化魔法、それに加えて闘気術による三重強化の効果は尋常ではない。マジで強いぞ。

ともかく――対角線上に位置する二人は、円を描くように飛翔しながらワイバーンたちを追い立てる。

そうして巧みに、まるで追い込み漁のように僅かずつ円を狭めて行くのだ。

追い込む先には、蔦と茨で組まれた足場に乗ったゴー君たちがいる。

「ふおー！　ブリュンヒルドたちつおい！　セフィのつぎくらいにつおいかもなー！」

『セフィはちょいちょいそれ言うな』

自分が一番なのは頑なに譲らないよね。

『それにしても、やべぇな』

何がやばいって、ブリュンヒルドたちの戦いぶりである。

飛翔しながら追って来るブリュンヒルドたちから、ワイバーンたちは必死に逃げているのだ。

流石に、仲間が容易く両断される姿は衝撃が大きかったのか。それとも――、

「「うふふふふふッ！　アハハハハハハハハハハハハハハッ!!」」

単純に追って来るブリュンヒルドたちが恐ろしかったのか。

まるでシンクロしたように彼女たちは高笑いしていた。

その目は興奮したように見開かれており、面に浮かぶ笑みは凄絶だ。

なぜか俺の知識にあるのだが、戦乙女とは本来、戦場に現れては戦士たちの魂を刈り取って行く、「おぞましい死神」のように思われていたらしい。

普段は綺麗なお姉さんたちにしか見えないが、今の彼女たちは、まさにそんな感じだった。

そんな二人の死神たちに追い立てられたワイバーンは、徐々に里の外縁に近づいていき――、

「ゴーくんとんだ」

『ふむ、トランポリン？』

そんな言葉が思わず浮かぶ。

まるでバネを勢い良く踏んで跳躍したかのように、蔦と茨の足場から近接系ゴー君たちが跳躍した。

冗談のように高く高く跳躍したゴー君たちが、近づいて来たワイバーンに向かって大剣――いや、大剣じゃねぇぞ!?

いつの間にか長槍に変化しているミストルティンを振るい、ワイバーンたちを仕留めていくのだ。

もしかしてブリュンヒルドたちを見て学習したのか、あるいは自分たちで考え出したのか、ミストルティンを複数の武器に変形させることが出来るようになっていたらしい。

ともかく――跳躍したゴー君があらぬ方向へ落ちていかないように、巻き付いた蔦が足場へと引き戻していく。

そしてゴー君は再度跳躍し、ワイバーンへ攻撃を加えていく。

『これ繰り返して、後は地道に倒して行くのか？　……いや、違うな』

ゴー君に巻き付いた蔦は、どうやらただの命綱ではなかったらしい。

微妙にゴー君の動きを調整し、空中で向きを変えたりしている。それによってゴー君は変則的な動きで、ワイバーンたちを翻弄していた。

おまけに今ではブリュンヒルドたちも、里の外縁を円を描くように飛翔するのではなく、ワイバーンの群をその場――つまりゴー君のいる近く――に留めるように、小刻みな旋回を繰り返していた。

いつの間にか、ブリュンヒルドやエイル、ゴー君たちによって、ワイバーンの群は誘導され、一定の空間に留まり続けているのだ。

そう、まるで誘惑林檎に殺到した時のワイバーンたちのように、密集した形に。

あれだけいたワイバーンたちは今や二つの群に纏められている。

そして、いつの間にか五ヶ所に分かれていたはずのゴー君たちも、二ヶ所に集合していたのだ。

こちら側の手数が増えて、明らかにワイバーンたちは追いつめられている。激しい攻勢にさらされて、奴ら自身も気づかない内に、その高度は少しずつ下がっていた――すなわち、ゴー君たちが足場としている蔦と茨の網に。

そして準備が整ったのか、ブリュンヒルドとエイルから魔力が放散された。

おそらくはゴー君たちへの念話による指示。

茨と蔦のゴー君たちが、一斉に動き出す。

足場となっていた網が、高度の下がったワイバーンたちをまるで網の中に入った魚の群を引き上げるように、一頭も逃さず拘束してしまった。

網に捕らわれて塊となったワイバーンたちに、近接系のゴー君たちが一斉にミストルティンを突き込んだ。

同時、ブリュンヒルドたちも自らの持つ槍を勢い良く突き込む。

それらは当然のように変形した。すなわち、誘惑林檎の時の再現である。

無数の棘が内部からワイバーンたちを貫き出て、大量の鮮血が流れ出した。

「うわぁー！　すごいねぇ！」

『熟練の漁師の技を見ているようだ』

あれだけいたワイバーンたちは、何と一頭も残さず殲滅《せんめつ》されてしまったのである。

セフィはパチパチと手を叩きながら素直な称賛を表し、俺は見事と言う他ないブリュンヒルドたちの指揮と手際に感嘆の唸り声を漏らす。

ブリュンヒルドたち、ゴー君たちの実力には脱帽であった。

――ちょっと優秀過ぎね？

第四十四話　ついに進化しやがった……！

優に100頭を超える大量のワイバーンの群を、ブリュンヒルドたちとゴー君たちだけで殲滅してしまった。

そのワイバーンの死体は、多くが周囲の森の中に落下してしまったが、流石にそのまま放置するのは勿体無さ過ぎる。

というわけで、全てではないものの、可能な限り回収した。

足の早い肉は保存食に加工するつもりだと長老が言っていたが、ワイバーンの肉に対して塩の備蓄量が全然足りないため、それでも大部分を捨てざるを得ないという話だ。

まあ、捨てる部分は俺やゴー君たちの養分になるから、無駄にはならないのだが。

苦労して森に落ちたワイバーンを引き揚げたら、再度出発である。

俺たちはワイバーンのような魔物の襲撃を警戒しながらも、ドワーフの隠れ里目指して進み出した。

——だが。

あれだけの大量のワイバーンたちを倒した結果、ゴー君1、2、3号の様子が何やらおかしくなった。

里の広場――俺の本体の前まで来て丸まったかと思うと、そのまま動きを止めたのである。

遂に来たか……と、俺は覚悟を決めた。

何って、ゴー君たちの進化だよ。

そろそろ進化する頃だと思っていたが、ワイバーンたちを倒した事でレベル上限に達したのだろう。

ゴー君1号はその場にしゃがみこみ、2号3号の茨と蔦のゴー君たちは一塊となっている。

その体がぶるぶると震えたと思った次の瞬間――ゴー君たちの全身が淡く光り出した。

俺やセフィ、里の皆が見守る中、ゴー君たちの体が徐々に変化していく。

「「「おお～!!」」」

ゴー君たちの進化を目の当たりにして、そこかしこから歓声があがった。

それは俺のように巨大に進化したわけではなかった。

むしろ、大きさとしては以前より小さいだろう。

しかし、ゴー君1号を除いてその見た目は面影もなく変わってしまっていた。

「ふおー……」セフィが感嘆したような、あるいは戸惑ったような調子で呟く。「ゴーくんってかんじじゃない」

「私たちの新しい妹……というわけでも、なさそうですね」

「でも、種族的には近い感じがする」

ブリュンヒルドとエイルは少しばかり残念そうに、しかし興味深そうに言う。

というのも、2号と3号を見ての感想だろう。

「主様、姫様、皆様――こうしてはっきりと言葉を交わすのは初めてですわね」

涼《すず》やかな声を優雅に発したのは、進化したゴー君2号である。

完全に「動く茨」とでも言うべき姿であった彼――いや、「彼女」は、いまやブリュンヒルドたちと同じく美しい女性の姿となっていた。

髪と瞳は薔薇の花弁を思わせるような深紅で、長い髪が艶やかに伸びている。

肌の色は透き通るような白で、少しきつめな印象はあれど、凄まじく整った顔立ち。

外見年齢は人族に当てはめて考えるなら、二十代前半といったところであろうか。

深緑色の、所々薔薇と茨の刺繍が施されたドレスを身に纏い、頭には薔薇の花が咲いた茨の冠を載せている。

ドレスを押し上げるのは豊満な胸であり、どこか自信に満ち溢れた立ち姿は気位の高さを思わせる。

女王様――とでも呼びたくなるような姿だった。

「名前はまだありませんけれど、種族名は『樹精霊の茨女王《ドライアド・ローズクィーン》』ですわ。今後ともよしなに」

女王様はとても優雅なカーテシーで挨拶した。

「それでは僕も」

と、次に声を発したのは蔦のゴーレム――ゴー君3号が進化した存在。

「こうして言葉を交わす事ができるのは、非常に楽しいですね。皆さんにはこれからも仲良くしていただければ、と思います」

「彼」は優しげな笑みを浮かべながら、穏やかな口調で話す。

こちらも女王様同様、完全な人型となっていた。

髪は柔らかそうな金髪で、瞳の色だけが植物を思わせるような、鮮やかな翡翠色をしている。

肌はこちらも透き通るように白く、顔立ちは樹精霊のデフォルトなのか、非常に整っていた。体つきや「僕」という一人称から男性であると思われるが、ともすれば女性と見間違いそうなほどに中性的な顔立ちだ。

身につけているのは白い布に金糸で蔦模様が刺繍された、ゆったりとした祭服。

外見は女王様と同じく二十代前半程度だが、どこか見る者を安心させるような柔らかな雰囲気を纏っている。

「僕も名前はありません。種族は『樹精霊の森祭司《ドライアド・ドルイド》』です」

彼は恭しく一礼した。

『では、我も挨拶させていただこう』

最後に口を開いた――否、念話にて声を発したのは、ゴー君1号だ。

3メートル近い身長を誇るウッドゴーレムであったゴー君1号だが、カテゴリ的に変化が一番少なかったのが彼である。

その外見はギリギリ、辛うじてウッドゴーレム――と呼ぶ事もできるだろう。

ゴー君1号の全身は黒曜石《こくようせき》のように黒く硬質で、光を反射する滑らかな素材で覆われていた。

やはり、よくよく目を凝らして見れば木目模様があることから、それが植物だと理解できる。

その身長は2メートル50センチくらいで、進化前より少しだけ縮んでいるようだ。しかし、だからといって弱くなったという印象は皆無だ。

彼は狂戦士たちと同じように、全身を鎧で包んでいた。

鋭利な曲線で形作られた、どこか攻撃的な造形の鎧である。黒の鎧を縁取るように、赤い結晶質の何かが模様となって全身を飾っている。

そして時おり、脈動するかのように模様の部分に赤い光が走るのだ。

何より印象的なのが、顔の部分であろうか。

まるでオーガのような双角が天へ向かって伸びており、その下には憤怒を象《かたど》ったかのように怒りの表情を浮かべた顔がある。目の部分は空洞で、中には血のような深紅色の光が瞬いていた。

『主上、姫、それから我が同胞たる里の住人たちよ、こうして直《じか》に話す事ができて、とても喜ばしい』

ゴー君1号の腕は、以前のように剣が収納されているのか、やはり膝より下の長さのままだった。

『我もまだ名はない。ゆえに種族名だけ名乗らせてもらおう。我の種族は『樹王霊鬼《キングトレント・デーモン》』という。我が剣で皆を護ろう』

自信たっぷりにそう述べるゴー君1号には、どこか覇者の風格のようなものがある。

『…………』

ゴー君たちが遂に話せるようになってしまった。

反抗的な態度を取られたらどうしようかと戦々恐々としていたが、そんな様子はないようで一安心である。

里の皆も「すげー」とか「守護者様たち、強そう」とか「よろしくお願いします！」とか、すでに新たなゴー君たちの存在を受け入れつつある。

「かっこいーとおもいます！」

「ふむ、なかなかに位の高い存在へ進化したようですね」

「純粋な能力だけみても、進化前の数倍はありそう」

「おそらく【神性値】を消費して進化したのでしょうな。守護者様方でしたら、それくらいの【神性値】は溜まっていたはずですじゃ」

順にセフィ、ブリュンヒルド、エイル、長老の言葉である。

彼らもゴー君たちの進化した姿には、頼もしさを感じているようだ。

だが、俺はちょっと気になったので、ゴー君たちの言葉を訂正するべく言葉を発する。

『いや、名前がないって……ゴー君1ご』

「名前がないのですわ！」

「残念ながら、名前はまだ」

『どうか我らに名を付けてはもらえまいか』

順に茨、蔦、鬼のゴー君たちが言う。

急にどうしたのだろうか。もしかして進化して記憶の一部に欠落が？

『君たち名前はゴー』

「じゃあ、セフィがつけてあげるね！」

セフィが元気良く声をあげる。

なぜだかセフィは名前を付けるとなるとテンション上がるよね。でも、

『いやもう、名前あるでし』

「まあ姫様！　嬉しいですわ！」

「姫様に名付けていただけるとは、光栄です」

『姫、よろしくお願いする』

俺の声が小さくて聞こえなかったのだろうか。

それともセフィに名前を付けてもらう事が、そんなに嬉しいのだろうか。

ゴー君たちが勢い込んで言ったせいで、俺は最後まで言葉を発せない。

ここまで声を遮られれば、嫌でも気づく。

もしかしてゴー君たちは、新しい名前が欲しいのではあるまいか――と。

ふむ……いつもいつもセフィに名前を付けてもらうのは、少し悪い気もする。

だから俺は、今度は声を遮られないように、大きな声で言った。

『いや、ここは俺が名前を付けよう!!』

「『え?』」

「ユグがー? べつにいいけど」

なぜだかゴー君たちは、絶望的な顔をした。


俺は考えた。

ゴー君たちの新たなる姿に相応しい名前を。

体を表すような、彼らにしっかりと合った名前を――だ。

『じゃあ、ゴー君1号はきた……いや、「鬼太郎《おにたろう》」とか……どう?』

『ゲハァッ!!』

告げた瞬間、なぜか致命傷を負ったような声をあげて、ゴー君1号、もとい鬼太郎が膝を着く。

それを見ていた2号3号が盛大に顔をひきつらせたのは……たぶん、鬼太郎が心配なんじゃないかな? 急にしゃがみ込んだし。

『ゴー君2号は……女性だし……「薔薇子《ばらこ》」で』

「――カハッ!!」

『最後にゴー君3号だけど……う~ん、蔦……3号…………良し! 「蔦三郎《つたさぶろう》」なんてどうだろう？』

「――ッ！　……――」

薔薇子がなぜか血を吐くように咳き込み、蔦三郎は放心したように表情を無くす。視線はどこか遠くを見ているようだ。

「「…………」」

「ユグ……もう、いじめないであげて？」

周囲で俺のハイセンスな命名を聞いていた皆はなぜか沈黙し、セフィはなぜか許しを乞うような視線で俺を見上げる。

『え？　誰も苛《いじ》めてないだろ？』

セフィも妙な事を言う。

いったい俺が誰を苛めたと言うのか。

しかしセフィは答えず、妙に大人ぶった仕草で顔を横に振るばかりである。

かと思ったら鬼太郎たちの方へ一歩踏み出し――、

「それじゃあセフィがなまえをつけてあげるね？」

と、おかしな事を言い出した。

『おお！　姫！　ぜひお願いする！』

「さすが姫様！」

「助かったよ姫様！」

そしてなぜか便乗する鬼太郎たち。

『いやいや、君らには今、名ま』

「んとー、ゴーくん1ごうは、グラムでー」

『我が名はグラム。承った』

セフィの命名を鬼太郎が承諾してしまう。

『え？　いや、お前の名前は鬼た』

「ゴーくん2ごうはねー、ベルソルでしょー」

「ベルソル。良い名ですわ」

薔薇子が妙な名前に。

『君の名は薔薇――』

「ゴーくん3ごうはー……エムブラ！」

「エムブラ。流石は姫様、素晴らしい名です」

『お前の名前は蔦三ろ』

「「おおー！」」

「これで守護者様たちの名前も決まりましたね！」

「めでたいめでたい！」

「宴だー！」

訂正しようとしたところで、周囲から歓声があがり、俺の声が掻き消されてしまった。

おかげでゴー君たちの名前はセフィが考えた名前で定着しそうな気配。

いや、セフィが付けたやつもなかなか良いと思うが、俺のやつの方がもっとシンプルでそれぞれにマッチしているというか……。それに俺が自ら作った配下だし、やはり俺が名付けてあげたい気持ちもあるっていうか……。ほら、ブリュンヒルドたちはセフィが名付けちゃったし？

『……やっぱり鬼太郎で――』

「宴じゃ！　宴の用意をするのじゃ！」

「ワイバーン肉が大量にありますからね！」

誰も聞いちゃいなかった。

いやまあ、本人たちも気に入っているようだし、別に構わんのだけどね？

⁂

宴をしたりワイバーンの各種素材を加工したり肉を保存したりした後、俺たちは再び樹海を進み始める。

それからも多種多様な魔物たちに襲われたが、進化したグラムたちが大いに活躍した。

まずグラム。

近接戦闘に特化した進化だと思っていた。

実際にその推測は間違ってはいなかったのだが、彼の攻撃手段は近接だけではなくなっていた。素の状態で凄まじく高い身体能力に、植物魔法と身体能力強化を重ね掛けできるのは以前と同じだ。しかし、そこにブリュンヒルドたち同様、闘気術による強化も使えるようになったらしい。

俺は巨体であるために魔力感知の範囲が広く、どうにか動きを捉えることができたが、視覚などに頼っている相手ならば目で追う事もできず、あっという間に見失ってしまうだろう。

それほどの凄まじい速さで移動を繰り返し、瞬き一つの間に敵の眼前に現れては、次の瞬間にはもう仕留めて別の場所にいる。

そんな超速の動き自体も凄まじいのだが、さらに特徴的なのがグラムの持つ二本の木剣だ。

元はエルダートレントの木剣とミストルティンだったはずなのだが、何やら自身と同じ黒曜石のような質感へ変貌している木剣は、その表面にグラム同様紅い模様が走っている。

グラムが両の木剣を魔物に突き刺すと、木剣に走った紅い模様が輝いた。

――かと思うと、明らかにおかしい速さで魔物が干物のように乾き死んでいくのだ。

――エナジードレイン

では、ないだろう。

俺が獲物を根で覆い尽くすほどに拘束した上でエナジードレインを使っても、あのような速さで「吸い尽くす」事は不可能だ。

ゆえに、おそらくはグラムが新たに手に入れた固有のスキルによる効果だろうと思われる。

後から聞いたそのスキルの名前は――『血ヲ浴ビル英雄』

名前の感じからして、ブリュンヒルドたちが持つ固有スキルのように、複数の能力を併せ持ったスキルだろう。

そしてそれは、エナジードレインの単なる強化版などではない。

魔物から吸収されたエネルギーは、すぐさま攻撃に転用する事も可能なようだった。

木剣の模様が紅く紅く輝いたかと思うと、グラムが虚空《こくう》に向かって剣を振るう。

剣閃をなぞるように紅い光で形作られた巨大な刃が生まれたかと思うと、目にも留まらぬ速さで飛翔した。

よほどの動体視力か、俺のように特殊な知覚を持っていなければ、それは単に閃光が走ったようにも見えただろう。

飛翔した刃が向かう先には巨大な鳥の魔物がいる。

長老曰く、ロック鳥という名の大空の覇者だ。

見た目は鷹などの猛禽類に近いだろう。しかしながら、その大きさは間違っても鷹の同類とは思えない。鋭い鉤爪《かぎづめ》を備える足だけでも人の何倍も大きく、ワイバーンすら摑んで飛翔するほどの巨体と飛行能力を持つ。

生物の巨大さは、例外はあれど、そのまま戦闘能力の高さにも通じる。事実、ロック鳥はワイバーンをも捕食する魔物らしい。

ゆえに、だろうか。

次から次へと襲いかかってくるワイバーンたちを狙って、そんなロック鳥もやって来た。

グラムの放った飛翔する刃は、群れるワイバーンを餌とするために近寄って来たロック鳥を、避ける間すらなく、何の抵抗もなく斬り裂いた。

長老によれば闘気術の一種に、斬撃を飛ばす飛翔刃と呼ばれる技があるそうな。

しかし、それは紅く光ったりはしないそうなので、似て非なる何かではないか、と推測していた。

少なくともワイバーン程度ならば寄せ付けない近接戦闘能力に、ロック鳥すら斬り裂く遠距離攻撃手段を得た事になる。

次にベルソルだが。

彼女はブリュンヒルドたちのように完全な人型をしているが、どうやら戦闘においては必ずしも人型とは限らないようだ。

巨大な蜂の魔物が無数に襲って来た時の事である。

彼女は下半身を大量の茨へと変化させると、地面を滑るようにして里の外縁部まで移動した。

それから自らの下半身を変化させた茨を空中へ伸ばし、襲いかかってくる蜂どもを捕らえてはエナジードレインで【生命力】などを吸い尽くし、絶命させていく。

まあ、そこまでは進化前と大して変わりない。

強いて言えばエナジードレインが目に見えて強力になっている事くらいだろうか。

だが、やはりというか当然と言うべきか、彼女の能力はそれだけではなかった。

「主様、体の一部を御借りしても良いかしら？」

襲いかかる蜂の魔物の多さに、やはり俺も手を貸すべきかと考え出した頃、ベルソルはそんな事を俺に聞いた。

『え？　あ、うん……良いけど？』

ちょっと意味が分からないが、それでも許可を出すと、

「ありがとうございます。それでは御借りしますわね」

彼女は自らの茨を里の外縁の茨の壁――つまりは俺の一部――に触れさせると、同化したのである。

そして膨大な質量となった大量の茨を、まさに自らの体のように操り出す。

大量の蜂の魔物に対して、ベルソルは大量の茨をもって対抗したのだ。

里の外縁をぐるりと囲む大量の茨の壁が、ぞわりと蠢く。

彼女はそれを手足のように操って、近づく蜂どもを捕らえては吸い殺していく。

そしてその度に、彼女の茨のどこかで深紅の薔薇が咲いていくのだ。

固有スキル――『滅ビノ茨』

そういう名前のスキルだと、後から聞いた。

内包する能力の一つは、美しい薔薇を咲かせる事。

真っ赤に綺麗に咲き誇る薔薇の花弁は、美しいだけで何の変化ももたらさない。

しかし、魔力を知覚する能力があれば、まったく別の感想を抱くだろう。

蜂どもから吸い取った魔力は、薔薇の花弁に送られ、そして空気中へ放出されていく。

最初はそれに、何の意味があるのかと疑問に思うはずだ。

しかしながら、もしも彼女と敵対する者がそんな疑問を抱いたとしても、答えを得る事は困難だろう。


気がついた時には、何の脈絡もなく意識を失っているからだ。

目に見えない濃密な魔力の霧——あるいは嗅ぐことのできない魔力の香り、とでも言うべきか。

それらを身の内に取り込んだ者たちは、一定の量を超えた段階で昏倒、あるいは気絶した。

いや、もっと正確に表すならば、それは眠りと言うべきかもしれない。

意思では抗う事のできない強制的な眠りに誘われて、数多《あまた》の蜂どもがバラバラと地表目掛けて墜落していく。

その眠りは、彼女の許しなく目覚める事は決してなかった。


「僕はグラムやベルソルのように、派手にはできないのですが……」

と、弱気な呟きを漏らしたのはエムブラである。

だが、最もえげつないのは彼であった。

まるで砲弾のような勢いで飛翔して来た巨大なカブトムシの魔物へ、彼は軽く手を翳《かざ》す。

翳した手が若草色の蔦へ変化し、しゅるりと蠢く。

次の瞬間、その先端に瑞々しい林檎が実っていた。

林檎が放つ芳《かぐわ》しい香りは、誘惑効果付きの林檎である証拠だろう。

エムブラは蔦をブンっと振るうと、先端の林檎をカブトムシ目掛けて投擲《とうてき》する。

カブトムシは疑うこともなく、宙を舞う林檎を一口で噛み砕き飲み込んだ。

あの林檎に猛毒があれば、これで終わりだ。

そしてそれは、今までも出来た事に過ぎない。

だから、林檎にあるのは致死の毒ではなかった。

林檎を喰らったカブトムシが、ぶるりっと震える。

なぜか飛翔の速度を緩やかにしたカブトムシが、エムブラの傍に寄って来て、まるで侍るようにホバリングしていた。

彼は寸前まで明らかな敵意を見せていた巨大カブトムシに向かって、まるで慈父のごとき笑みをもって語りかけるのだ。

「よし、良い子だ。僕らの里を狙う敵を殲滅するんだよ？」

ブブンっと、まるで頷くように羽音を響かせて僅かに上下すると、巨大カブトムシはエムブラの傍を離れて里の外周を飛翔していく。

そして彼の言葉通り、移動する里を襲おうとする数多の魔物を殲滅し始めた。

たとえそれがワイバーンの群であろうと、自らよりも遥かに強大なロック鳥であろうと、カブトムシが躊躇する事はない。

エムブラの言葉こそが絶対の主命とばかりに、自らの命さえ省みる事なく襲いかかっていく。

そしてそれは、カブトムシだけの行動ではなかった。

彼の差し出す林檎を食べた全ての魔物が、彼の忠実なシモベと化していったのである。

固有スキル――『造ラレシ命』

エムブラ個人の力量で確実に殺せる事。そしてそれを実行できたという事実。

後から聞いた話によると、その二つの条件を満たす事で他者を支配下におく事ができるらしい。

そういう能力が内包されたスキルであるようだ。


――と、これらはグラムたちが進化して得た能力の一部に過ぎない。

それでも有象無象《うぞうむぞう》を蹴散らす程度は、容易であるようだった。

そんな頼もし過ぎる彼らの活躍もあって、ドワーフの里を目指す旅は順調に進んだ。

かつてエルフの里があった場所を旅立ってから、二週間が過ぎた頃であろうか。

「おっきいねー！　やっほー！」

『近くで見ると、まるで壁みたいだな』

生憎と山びこは返って来なかった。

進む先に見えるのは、どこまでも連なる山脈。

山の上は分厚い雪で覆われているようだ。おそらく夏でも溶ける事のない万年雪だろう。

それは霊峰フリズスと呼ばれる、峻厳《しゅんげん》にも程がある、壁のように天へ向かって聳える山々。

その遥か広大なる麓へと、俺たちは到着していた――。

【SIDE：ガーランド】消えた里、追う者たち

ヴァラス大樹海。

数多の魔物たちが跳梁跋扈《ちょうりょうばっこ》する深い深い森の中を、百にも達するほどの大人数が歩いていた。

そのほとんどは狼人族と呼ばれる獣人で、か弱い人族ならば僅か数百メートル踏破するにも苦労する樹海の中を、さして苦労するでもなく淡々と歩いていく。

彼らは人族に比べて魔力が少ない代わりに、感覚や身体能力に優れる。そんな強靱な肉体を持った彼らにかかれば、いかに悪名高きヴァラス大樹海とはいえ、まるで庭のようなものである。

——ただし、歩くだけならば、と付け加える必要があるが。

「オオオラァッ!!」

狼人族の集団のそこかしこで、そんな気合いの入った雄叫びが響き渡る。

同時に聞こえて来るのは勢い良く武器を振るう音であり、何か肉や甲殻を打つ音だ。その僅か後には、樹海に住まう多様な魔物たちの悲鳴、あるいは怒りの鳴き声が響き渡る。

彼らが樹海の中を進む度に、どこからともなく無数の魔物たちが襲いかかって来るのだ。

何しろ１００人もの大集団で歩いているのだ。肉食の餓えた魔物たちが彼らを見逃す道理はなか

った。

しかしながら、ここまでの道中で被害はゼロ。

その理由は、彼ら全員が手練れの戦士だから——というわけではない。１００人の内半分ほどは、小さな子供や老人、戦えそうにはない女性も交じっていた。

だが、もう半分ほどはかなり腕の立つ戦士たちのようだ。

ヴァラス大樹海の魔物たちをそれぞれが一蹴するほどの強者たちが、集団の全体を護るようにあちこちへ配置され、襲いかかって来る魔物どもを撃退しているらしい。

そんな集団の、さらに先頭。

「オラっ、オラオラっ、オラァッ!!」

襲いかかって来る魔物の集団を、一人で蹴散らす戦士がいた。

子供ほどの体高を持つ巨大な蟻の魔物——レギオン・アントの群に飛び込むと、右手に持つ黒い長剣を流れるように振るう。大木の根が大蛇のように這う足場の悪い森の中を、まるで踊るように、魔物たちの間をすり抜けるように移動しては、閃《ひらめ》く剣光ばかりしか見えないような流麗な剣技で一刀両断していく。

「邪魔だ虫けらどもぉッ！」

まるで輩のような口の悪さに反して、その身のこなしは超一流の剣士のそれだった。

集団にいる他のどの戦士よりも、頭抜《ずぬ》けて強いのが誰でも理解できるほどだ。

「おいグレビレア！　ほんとにこっちで間違いねぇんだろうな!?」

その戦士が、魔物の群を斬り伏せながらも叫ぶように問う。

「大きな声で叫ぶなガーランド。巨大な魔力の残滓《ざんし》は間違いなく続いているから、大丈夫だ、たぶん」

答えたのは戦士――ガーランドと呼ばれた男の傍に立ちながら、土魔法で石の礫《つぶて》を飛ばして魔物を牽制している女性だ。

とはいえ、この集団の中では唯一狼人族ではない。

細身の体に長く艶やかな銀髪と長い耳を持ち、どこか怜悧《れいり》な印象があるが、思わず目を奪われてしまうほどの美貌。肌の色こそ日に焼けたような褐色であるが、それは間違いなくエルフであった。

「たぶん!?　たぶんだぁ!?」

「仕方なかろう。この魔力の残滓以外にハイエルフ様の手がかりはないのだから」

グレビレアと呼ばれた女性は、ガーランドの叫び声に辟易《へきえき》しながら、そう答えた。


話は数日前に遡る。

狼人族の戦士ガーランドは、普段は多種族国家であるヴァナヘイムで活動する傭兵団の長だった。

しかし、数ヵ月前に自らの故郷、ヴァラス大樹海に住む狼人族の集落が教国軍に襲われているという情報を耳にした彼は、急いで故郷に帰還し、無慈悲に虐殺されんとする同胞たちを救うために活動を開始した。

この一銭にもならない仕事に、けれど彼が率いる傭兵団はすべてが従った。何しろ傭兵団の団員たちも、皆が狼人族で故郷を同じくする者たちだったのだから、それも当然かもしれない。

それに同行して来たグレビレアだけが団員ではなかったが、彼女には他に目的がありつつも、何だかんだでガーランドたちとここまで行動を共にしてくれたのは、教国の所業を見過ごせない正義感ゆえだろうか。

ヴァラス大樹海に辿り着いた彼らは、狼人族の集落を襲う圧倒的多数の教国軍に対して、狼人族にとって有利な森の中という地形を利用して、補給線を切ったり奇襲を仕掛けたりと、ゲリラ戦法にて嫌がらせをしつつ、できる限りの狼人族を樹海の奥へ逃がしていたのだ。

逃がした場所は樹海の奥地に存在するエルフの隠れ里。

そこまで逃がせば、樹海という環境、そして距離的な隔たりによって、教国軍にも手出しできないだろう――という目論見《もくろみ》だった。

そうして戦い続けること数ヵ月、残念ながら狼人族の集落はすべてが滅ぼされてしまったが、それでも数百人の同胞を逃がすことに成功したガーランドたちは、森の中で逃げ遅れた同胞たちを集めつつ、自らもエルフの隠れ里に向かっていた。

つまり、そうして構築されたのがこの100人を超える大集団というわけだ。

この集団を率いて、記憶にあるエルフの隠れ里を訪れたガーランドたちは、しかし、エルフたちと出会うことはできなかった。

「なん、だこりゃあ……」

「いったい何があったと言うのだ……」

深い深い森の中を行軍し、その開けた場所に出た時、さしものガーランドもグレビレアも呆然と立ち尽くすほかなかった。

目の前に広がるのは巨大な穴だった。

まるで地面が抉れたような擂り鉢状の巨大な穴が、かつてエルフの隠れ里のあった場所に広がっていたのである。その代わりというように、エルフの里は影も形もない。

「里は、エルフたちは……姫さんたちは何処に行った……？」

全身の毛を逆立てながら、ガーランドは呟いた。

彼の背後で数多くの同胞たちも困惑の声をあげている。隠れ里の場所を間違えたという可能性をもちろん考え、周囲を探索してみたが、いつも目印にしている巨木や巨石、川などの地形を確認して、やはり里の場所を間違えたわけではないのだと確信する。

では、いったいこの穴は何なのか？

星が落ちた衝撃で爆《は》ぜたようでもなく、まるで抉られたかのような断面を見せる穴だ。

魔物に襲われたわけではないだろう。何百何千の魔物が集まってもこんな芸当は不可能だ。

だとすると、教国？

教国の新神どもであれば、このような人智を超えた所業も可能だろう。特にヴァラス大樹海には北部大司教区が接していて、その聖都シンカには炎を司る一柱がいる。あれであればこのくらいの穴を開けることも可能だろうが、炎神の仕業だとしたら穴の表面に焦げの一つもないのが解せない。

しかし、ガーランドにはそれ以外の可能性を思いつけなかった。

「まさか……俺が、狼人族たちをここへ逃がしたからか……？　それで教国がここを攻めたのか……？」

愕然とする。呆然とする。

自分の浅はかな行動のせいで多くのエルフたちが殺されたかもしれないという想像に、彼はガクリと膝を突いて座り込んだ。

そんな彼の傍へ、周囲を探索していたグレビレアが戻って来た。

「おい、落ち込むのは後にしろ」

「……」

死んだように淀んだ瞳を向けるガーランドに、グレビレアが告げる。

「ハイエルフ様の手がかりを見つけた」

「な、何ッ!?　本当か!?」

勢い良く立ち上がり近づくガーランドの顔を手で押して遠ざけながら、グレビレアは今いる穴の反対側を指差した。

「あちらの方に、魔力の残滓が霊峰の方角に向かって続いている。ハイエルフ様の魔力かどうかは分からないが、森の木々がざわついていないから、森に敵対的な存在の魔力ではないはずだ。となると、魔力の大きさからハイエルフ様の魔力と考えるのが妥当だろう」

「つまり……どういうことだ？」

「私も何が何だかわからないが、少なくともハイエルフ様は無事で、魔力が続く方向に向かって移動している……のかもしれない」

　グレビレアは自身の推測を口にしつつも、確信があるわけではなかった。何しろ……、

「魔力の残滓があるとはいえ、森に異変があったようには見えないのだ。これほど魔力が残るような大魔法をハイエルフ様が何に使ったのか、見当もつかん」

　先にも言ったように、何が何だか分からない、というのが現状だった。

　それでも何らかの大魔法の影響か、はっきりと濃い魔力の残滓が森に太い線を描くようにして続いているのは確かだった。

「なるほどな……つまり、それを追っていきゃあ、姫さんには会えるかもしれねぇってことか」

「まあ、そういうことになる。ついでに言うと、移動するなら早くした方が良い。今ははっきり感じられるが、所詮は魔力の残滓だ。時が経てばすぐに消えるぞ」

　ガーランドは立ち上がると、先程までの悲壮感に包まれた表情から一転、覚悟を決めたような顔で告げる。

「んじゃあ、ここに留まるわけにもいかねぇんだ。さっさと姫さんの後を追うぞ」

　拾って来た狼人族の非戦闘員たちにとっては体力的に辛いことになるだろうが、こんなところにいてもどうしようもない。

素早く決断し、ガーランドたちは巨大な穴から一直線に続く魔力の残滓を追って移動することにした。


そうして何日も魔力の残滓を追って移動し続ける。

魔力の進む方向は、やはり一直線に霊峰フリズスへ向かっているようだった。それゆえに進むごとに出現する魔物の強さも少しずつ増していくが、だからと足を緩めるわけにはいかない。

おそらく彼らの後方では、すでに魔力の残滓は消えているだろう。ここで立ち止まれば、彼らのいる場所からも残滓は消えていき、進むべき方向を見失ってしまうことにもなりかねない。

それに、一ヶ所に留まればそれだけ魔物どもにも襲われることになる。だが、

「本当に、姫さんはこっちに進んでんのか？」

何ゆえに危険な霊峰へ近づいていくのか。

それにこの方向に何があるのか、狼人族ならば分からないはずもない。

「こっちの方向にゃあ、ドワーフどもの里があるはずなんだが……」

もしもエルフたちが集団で移動しているとするならば、わざわざドワーフの里に向かう理由も解せない。エルフとドワーフたちがいがみ合っていることは有名な話だからだ。

「そんなことは直接会って聞いてみる他あるまい」

「そりゃそうだが、なッ！」

襲いかかって来た狼型の魔物をついでのように斬り伏せながら、ガーランドは納得できないというように声をあげた。

とはいえ、この場でぐだぐだと想像を巡らせたところで、答えがはっきりするわけでもない。

「くそッ……！」

「落ち着け、ガーランド」

「わぁってる！」

ガーランドは何か良くない予感に突き動かされるように、気持ちばかりが急《せ》く。それをグレビレアが嗜《たしな》めるも、気が急いているのは実は彼女も同じだった。

そんな彼らに引っ張られるようにして、狼人族の集団は強行軍で樹海の中を進んで行く。

「チッ、ワイバーンか？　鬱陶《うっとう》しい」

ふと、樹海を行く彼らの遥か頭上を、飛行する魔物が高速で通り過ぎて行った。

重なり合う分厚い梢に遮られて、その姿を確認することは出来ない。『魔力感知』の知覚範囲にも入っていなかったから、ガーランドがワイバーンと思ったのも、微かに聞こえた羽ばたき音から推測しただけだ。

「霊峰フリズスに近づいているからな。この辺りなら、ワイバーンも珍しくはないだろう」

グレビレアが何ということもなく言う。

「……上から襲われたら、ちと面倒だな」

「安心しろ。我々のように小さな生き物は、樹冠に遮られて上からは見えないさ。川原に出ない限りはワイバーンが襲って来る確率は低いはずだ」

「……そいつは朗報だな。俺たちは運が良いぜ、くそったれ」

ワイバーン以上に樹海の魔物は数が多く、おまけに1体1体が手強い。実際のところ、グレビレアの言葉は何の慰めにもならなかったが、軽口を叩かなければやっていられない気分だった。

……そんなふうに気が急いていたからか、あるいはワイバーンが珍しくない場所だからか、もしくは単に空高い場所を飛行していたからか――理由は幾つもあるだろう。

ガーランドたちは上空を飛行するワイバーンの背に騎乗する存在に、ついぞ気づくことはなかった。

しかし彼らにとって幸いだったのは、頭上の存在もまた、樹冠に遮られたガーランドたちに気づかなかったことだろう。樹海において群で行動する魔物は珍しくない。密集して移動する魔力に気づいても、それだけで気にする可能性は少なかったであろう。

いや、そもそも高速で空を移動する中、樹海にいる存在をいちいち感知系のスキルで探るはずもなかった。

両者はどちらも気づくことなくすれ違った。

第四十五話　滝の下の洞窟と

『――で、ドワーフの里はどこにあるんだ、ヴォルフ？』

エルフの里の中央に聳える俺の本体、その高い高い樹上にて。

セフィが俺の枝に登っているのは、ここ最近ではいつもの光景だが、今日はセフィに加えて狼人族の青年であり戦士であるヴォルフもだ。

俺は彼らと共に、圧迫感さえ覚えるような巨大な山脈――霊峰フリズスの雄大な山麓を見渡していた。

というのも、遂に霊峰の麓までやって来たわけだが、俺もセフィも目的地であるドワーフの里、その場所を知っているわけではない。

それを知っている人物は何人かいるが、中でも最も詳しいのがヴォルフであるという話だった。

ゆえに、今日は彼にここまで登って来てもらい、行き先についての指示をもらおう――というわけだった。

「そうですね……」

と呟きながら、ヴォルフは周囲の光景を注意深く見渡していく。

いつもは森の中を歩いて来ていたという話だから、森の上から俯瞰《ふかん》するという見慣れない光景に、すぐには里の場所を見つけられないのは仕方ない。

それでも記憶と符号する地形か何かを見つけたのか、

「精霊様、あの断崖に近づいてください」

と、視線の先を指差して告げた。

ヴォルフが指し示した場所を見れば、なるほど断崖である。

今の俺よりも遥かに高い場所から、岩の地肌が露出した断崖絶壁となっている地形があったのだ。

どうやら山脈の一部に現れた崖のようで、緩やかに湾曲しながらずっと向こうまで続いている。

崖の端――というか終点は湾曲の向こう側にあるため、ここからでは確認できない。

「あの崖を回り込んだ先に、崖の上から降り注ぐ滝があるはずです。その滝の流れ落ちる先に、ドワーフたちの隠れ里に繋がる洞窟があります」

『へぇ、なるほどなー』

洞窟に住むとは、如何にもドワーフらしい。

いや、ドワーフに実際会った事はないんだけど、前の俺の知識と照らし合わせれば違和感は覚えない。

洞窟に住む鍛冶の得意なずんぐりむっくりした髭モジャの存在――それがドワーフであると、すでに確認している。

「ドワーフさんと、ともだちになれるかなー？」

『……諦めなければ、たぶん』

「そう、ですね……どんなに絶望的な局面でも、一握りの希望は残されているかと」

セフィのワクワクしたような問いに、俺とヴォルフは言葉を濁しつつ答える。

エルフとドワーフは互いに嫌い合っているという話だし、友達になるのは無理かもしれない。そんな真実を告げられるほど、俺たちは残酷にはなれなかったのだ。

しかし、どうやらセフィもそれが難しい事は分かっていたのか、それとも俺たちの玉虫色の回答で気づいたのか、

「あー、けんかになっちゃうかもなー」

と、納得したように頷いた。

セフィもエルフとドワーフの仲が悪い事は理解しているようである。

「でも、セフィならだいじょぶかー」

しかし、なぜか一人で頷く。

何が大丈夫なのかは不明だ。

『何がだよ?』

「けんかになっても、セフィならかてるし」

と、当然のように言う。

いや確かにセフィなら勝てるだろうね。だってハイエルフだもんね。

魔法で一発だよ。

「こぶしとこぶしでなぐりあって、ゆーじょーはめばえるって、ガーもいってた」

『それはやめとこうぜ』

　セフィのぷにぷにフィストとドワーフのゴツゴツ拳では、さすがに分が悪すぎである。

　セフィは自らのぷにぷにフィストを見つめ、それからゆっくりと真面目な顔で頷いた。まるで切れすぎる刃物を見て、その切れ味の鋭さに憂慮するような表情だ。

「たしかに。セフィのこぶしは、もはやきょーき。しろーとにふるうのは、きけんかもしれない……」

『ああ危険だな』

「精霊様!?」

　俺は間髪入れずに頷いた。

　セフィとヴォルフがほぼ同時にこちらを振り返る。

「やっぱり、ユグもそうおもう?」

『思う』

「精霊様ッ!?」

「むふー!」

　セフィの自らのフィジカルに対する絶大な自信は何なのであろうか。

　俺は否定して機嫌を損ねるのもアレなので頷いておいた。と――、

『お!　あれがヴォルフの言ってた滝か?』

会話しながらも崖を迂回するように歩き続けていると、視界の向こうに崖の上から勢い良く流れ落ちる一筋の水流が見えて来た。

「ええ、あれです。間違いありません」

ヴォルフがしっかりと肯定する。

その様子からすると、別の似たような場所と間違えている——という事もなさそうだ。

というのも、視線の先にある水の流れは、確かに一度見たら忘れようもないほど特徴的であったのだ。

滝——という表現は間違いではないのだろう。

しかし、俺の思っていた滝とは少しばかり違っていた。

滝は今の俺から見ても、遥か頭上から降り注いでいた。

凄まじく高い崖の上から暴風が唸るような轟音を立てて、大量の水が流れ落ちている。

だが、不思議な事に流れ落ちる大量の水は、崖の下に川の流れを生み出していない。いわゆる滝壺というものも存在しなかった。

「みずがなくなってる……!!」

セフィも、その不思議な滝には目を丸くして驚くばかりだ。

そしてセフィの言葉は、確かに真実とも言えた。

流れ落ちる大量の水は、崖下に辿り着く前に消えているのである。

とはいっても、物理的に消滅しているわけではない。

あまりにも高い場所から水が流れ落ちているがゆえに、崖下に辿り着く頃には水流は拡散し、小さな水滴――それこそ霧雨のようになって地面へ降り注いでいるだけの事である。

だから崖下――滝の終着点には川のような流れも存在せず、瑞々しい葉を繁らせる草だけが繁茂していた。

『あそこに開いてる穴が、ドワーフの里への入り口ってわけか？』

「はい、その通りです。あの洞窟の先にドワーフたちが暮らしています」

ちょうど流れ落ちる滝の真下辺りに、崖に穿《うが》たれた穴が開いていた。

それがドワーフたちの里へ続く洞窟で間違いないらしい。

『やっと着いたな』

「はは、とは言いましても、森神様と精霊様のおかげで大分早く着きましたけどね」

などと、長い旅路の終わりにほっとしながらヴォルフと言葉を交わし合っている時だった。

「あ、ドワーフさんだ！　やっほー！　セフィだよー！」

急にセフィが叫び始めた。

え？　と思いながらセフィの視線を追う。

その先は当然というべきか、ドワーフの里へ続く洞窟、その入り口であり――、

『おー、あれがドワーフか。初めて見た。生ドワーフ』

「ん？　あ、ああ～……」

想像通りのずんぐりむっくりした髭モジャが、洞窟の中から現れていたのである。

彼（彼女だったらどうしよう？）は、洞窟から出てこちらの存在に気づいたらしい。

まだ遠いからどんな表情を浮かべているのかは判別できないものの、こちらを数秒――あるいは十数秒くらいか――眺めていたかと思うと、慌てたような動作で洞窟の中へと戻って行ってしまったのだ。

それを見てヴォルフが、何だか脱力したような声をあげる。

いや、俺もヴォルフが言わんとしている事は、だいたい察したわ。

「あー、もどっちゃった。セフィたちにきづかなかったのかも」

とかセフィが残念がっているが、もちろんそんなわけあるかい。

その証拠に、しばらくすると洞窟の先から大勢のドワーフたちがわらわらと現れ出したのだ。

そして皆、一様にこちらを見上げるように眺め出す。

ゆっくりゆっくりと近づいて来る俺（エルフの里全部載せの、よくわからん巨大生物）を見て、ドワーフたちが何を思うかなど、幼女でもなければ手に取るように解るに違いない。

「いっぱいきた。すごい、なんかめっちゃでてくる。もしかして……」

数人のドワーフたちが洞窟の奥へ引き返してから、さらに数分。

おそらくは手に手に武器を持ったドワーフたちが、数十人単位で現れ、洞窟の入り口を守るように陣取っていた。

その光景を見て、セフィがハッとした様子で言う。

「セフィたちのこと、かんげいしてるのかも」

『そうだな。歓迎してるな』

「精霊様ッ!?」

ある意味、大歓迎であった。

第四十六話　ドワーフたちとの邂逅

滝の下は休みなく降り注ぐ大量の霧雨のためか、あるいは単に岩盤が硬いためか、芝のような草はあれど樹木は生えておらず、開けた空間が広がっていた。

その広さは俺（エルフの里）が立ち止まっても十分な余裕があるほどだ。

なので滝の下の広場、洞窟から少しばかり距離をおいた正面にて、俺は立ち止まった。

そしてその頃には、最初は数十人程度だったドワーフたちは次々と増えていき、今では完全武装した数百人のドワーフたちが、こちらを警戒するように睨んでいる。

「では、行きますぞ？」

長老が背後を振り返り、こちらも武装したエルフたちと狼人族たちに問う。

全ての住人が下へ降りるわけではなく、やけに意気込んでいる数少ないエルフの老人連中が数人、それから戦える者がエルフ、狼人族合わせて50人程度の集団だ。

一応俺たちは友好的な交渉を目的としているのだが、これだけの戦士を引き連れて行く事に、念のためですじゃ——と長老は言っていた。

しかし、戦士たちへ振り向いた長老の顔は、その場の誰よりも鋭い眼光を宿している。

『いや、戦いに行くんじゃねぇんだから……』

精霊体姿となった俺は、セフィに抱えられながらそう呟く。

「何を言っておられますか。ドワーフどもに舐められたら……終わりですぞ？」

長老は俺たちを「見上げ」ながら言う。

ちょっと何を言っているのか、よく分からない。舐められたら終わりとか、どこの輩だ。

「精霊様は姫様を見做《みなら》ってくだされ」

『何を見做えと？』

「なに、姫様のような威厳をドワーフどもに見せつけてくだされば、それでよろしい」

『なんですって？　威厳？』

セフィは今、数人の男たちに担ぎ上げられていた。

というのも、持ち手を付けた御輿《みこし》のような台を男たちが担ぎ、その台の上に乗っている状態なのだ。

台の上に乗り、人を駄目にしそうな巨大なクッションに背中を預けたセフィは、いつぞやの歓迎の宴の時のように豪奢《ごうしゃ》な衣装を身に纏い、花飾りなどで「おめかし」している。

そしてドヤ顔を浮かべ、その両手に精霊体となった俺を抱えているのが現状だ。

長老の言う威厳を感じられないのは、俺の目が節穴だからではあるまい。たぶん。

「よきにはからえ」

うむ、と重々しい感じを醸し出して、セフィが頷く。

それに長老たちは「ははっ！」と畏《かしこ》まって応じた。

なんだこいつら。

「では皆、行くぞ」

「「「おうッ!!」」」

今度は問わずに告げて、長老は前へ向き直る。

その先は里の外縁であり、茨の壁に開いたアーチ状の出入り口だ。

当然というか、地続きになっていない現在、地面とは十数メートルの高低差が存在する。

それゆえに俺は、下へ降りるためのタラップを作成していた。

網目状に編んだ根っこの一部を解いて、階段状に変形させただけだが。

とにもかくにも、俺たちはこの階段を使って久々の大地に降り立った。

数十メートル先で物々しく戦闘態勢を整えたドワーフたちに近づいていくと——、

「なんじゃい！　どこのバケモンかと思えば、草くせぇエルフどもかい！」

「何の用じゃあ!?」

「やんのかコラァ！」

「ちょっとデカいバケモンを従えてるからって、儂らに勝てるつもりか!?　このモヤシどもがぁッ!!」

——凄い勢いで罵声を浴びせられた。

確かに結果的に脅してしまったような形になったのは申し訳なかったが、何もそこまで言う事ないじゃん？

てか、挨拶とか何もなしに即喧嘩腰とは、想像以上に仲悪すぎだろ。

しかし、そんな罵詈雑言の嵐にも長老は僅かにも怯んだ様子を見せない。

胸を張って——というか、少しばかり顎を上げた不遜な感じの姿勢で、ノシノシとドワーフたちへ近づいて行き、話をするのに十分な距離になるとピタリと立ち止まった。

やはり長老もエルフである。

どこぞの輩みたいなドワーフたちとは違い、何だかんだ言っても理性的に対話する重要性をわかって——

「黙れぇいッ!!　土くせぇドワーフどもがッッ!!」

——いなかった。

ドワーフたちの罵声に倍する大声で叫びやがった。

「この御方をどなたと心得る！　偉大なる森神様なるぞ！　頭が高いわぁッッ!!」

ドドーンっ！　という感じで御輿の上にいるセフィを両手で指し示す。

セフィは堂に入ったドヤ顔を浮かべている。

その両腕の中に収まっている俺もそんな感じで紹介されてしまうのだろうかと、ちょっとだけドキドキしつつ事態の推移を見守っていると、なぜか戦士たちに交じってついて来たエルフのご老人連中が口々に叫び出した。

「我らが神じゃぞ！」

「ハイエルフ様じゃぞ！」

「ドワーフどもには醸し出せぬ姫様の高貴さに！　神聖さにッ！　平伏せんかぁッ!!」

よく分からないが、どうやらセフィの神という地位を笠に着てマウントをとろうとしているようだ。

「何が森神じゃい！」

「儂らドワーフが信仰するのは酒神バッカスじゃから！」

「他所《よそ》の神がなんぼのもんじゃいッ!!」

しかし、ドワーフたちは僅かに怯む事もなく言い返した。

どうやら自分たちが崇めていない神ならば、敬う必要もないという事らしい。

「き、貴様らッ！　森神様に対してなんたる不敬かッ!!」

「そこに直れぇいッ！　全員ぶっ飛ばしてやるわ!!」

「我らが姫様に舐めた口ききおって！　クソドワーフどもが！」

「なんじゃとクソエルフどもが！」

「このモヤシ野郎ども！　貴様らが来たせいで草臭くて鼻が曲がるんじゃ！」

「さっさと森に帰れぇいッ!!　いや、還れぇいッ!!」

「うるさいぞこの短足どもが！」

「だいたい何が酒神バッカスじゃ！　今時そんなもん、誰も名前すら知らんわ！　バーカバーカ！」

「い、言ってはならん事を!!」

「舐めやがって……こうなったら戦争じゃあああぁッ!!」

「上等じゃやってやるわおおうッ!!」

そして間髪入れず激昂するご老人たち。

対するドワーフたちも、売り言葉に買い言葉で怒鳴るように罵声を飛ばし始める。

場は幼稚な悪口の応酬で収拾がつかなくなった。

……やはり長老たちをこの場に連れてきたのは間違いであったのだろう。

ドワーフの里に受け入れてもらうために友好的に振る舞おうと考えていた俺の思惑を、ジジイどもは全力でぶち壊してくれた。

「——ユグ?」

俺はふわふわとセフィの腕の中から飛び立ち、長老たちとドワーフたちが言い争う真ん中へと移動した。

しかし、激昂する両者はそれでも俺の存在に気づかない。

なので俺は、念話で大声を出す事で、優しく彼らの目を覚ましてあげる事にした。

『ジジイどもッ!!　黙れッッ！！！』

第四十七話　ネゴシエーター・ユグ

「なんじゃあ……？」

念話は思念を直接に伝える技術だ。

どれだけ感情が昂《たかぶ》っている状態にあろうと、聞き逃す事はありえない。

ゆえにエルフのジジイ連中もドワーフたちも、張り上げた言葉を口の奥に押し込んで声の主——つまり俺を見上げた。

「なんじゃあれ……魔物？」

ドワーフたちの先頭に立つ白髪の老人ドワーフが、呟くように言った。

俺はふわふわと高度を落とし、ゆっくりと老人ドワーフと目線の高さを合わせながら答える。

『失敬な。魔物じゃねぇよ』

と答えつつ、マナトレントであった進化前を思えば、もしかしたら俺ってば魔物のカテゴリに属するのかもしれない——と、そんな推測が思い浮かぶ。

だがもちろん、俺はそんな事などおくびにも出さずに確然と答えるのだ。

『俺はユグ。まあ、森の精霊みたいなもんだ』

「森の精霊じゃと……？　ずいぶん間抜けな姿をしておるな」

ま、間抜け？　このキャワイイ精霊ボディが間抜けだと？

愕然とする俺を庇うように、背後で長老たちが声をあげる。

「貴様ら！　言ってはならん事を！」

「間抜けじゃなく愛嬌があると言わんかい！」

「精霊様はわざと親しみやすい姿に化身されておるんじゃ！」

『じ、じいさんたち……』

俺は思わず背後を振り返った。

『――あとでぶっ飛ばす』

老人ドワーフの言葉を否定できてないからね？

むしろ遠回しに肯定してるからね？

「ふんっ！　そんな事はどーでもいいわい！」

と、少々脱線して意識が逸れたが、老人ドワーフの言葉で気を取り直した。

再びドワーフたちの方へ向き直ると、老人ドワーフが全員の代弁者の如く話し出す。

「あのバカデカいバケモンに乗って来よってからに、何の用じゃい！　儂らと戦争でもするつもりか!?」

『いや、争うつもりはない。俺たちはただ、交渉したいんだ』

「ああん!?　交渉じゃと？」

素直に俺らを助けてくれと言ったところで、エルフとドワーフの仲の悪さを思えば受け入れてくれる確率は低いだろう。

ゆえに、彼らドワーフに利益を提示する事で、こちらの要求を聞いてもらう——というのが妥当だろう。

『そうだ。狼人族たちと交易はしてたんだろ？　それとだいたい同じだと思ってくれ』

「はんっ！　なんじゃ、儂らの武器でも欲しいって言うんかい？　まあ、仮に欲しいと言われてもエルフどもにくれてやる武器などないがのぅ！」

「そうじゃそうじゃ！」

「エルフどもはさっさと森の奥に帰れ！」

しかしドワーフたちは途端に騒ぎ出す。

どうにも狼人族たちとは交易できても、エルフが相手になると御覧の有り様らしい。

「なんじゃとクソドワーフども！」

「上等じゃああ！　全員ぶっとば——」

『ローレル、ウォル、ヴォルフ！』

こちらも騒ぎ出す老人どもの言葉を遮り、俺は三人に指示した。

まあ、こうなるかもしれないとは事前に予想してたしな。

どうにもならない時は実力行使だと、三人には協力を仰いでおいたのだ。

「わかりました」

「了解っす」

「承知」

　頷いたローレルたちは老人連中を蔦でぐるぐると巻き、拘束していく。

「なッ、何をするか！　離すんじゃ！」

「はいはい。お昼はさっき食べたでしょ、お爺ちゃん」

「いや食べてないわい!?　まだ昼にもなってないじゃろが！　というか全然関係な——ふももッ！！？」

　当然、長老たちは抵抗するが、妙に手際の良すぎるローレルによって簀《す》巻《ま》きにされ、ついでとばかりに口へ詰め物が突っ込まれる。

　何も知らない者が見れば老人虐待かと目を剝くところだが、地面に転がされた長老たちはビチビチと跳び跳ねて元気だ。

『待たせたな』

「お……？　お、おう……」

　唖然としながらこちらを見ていたドワーフたちに向き直り、交渉再開だ。

　とはいえこの交渉、長々と時間をかけるつもりはない。

　なので率直にこちらの要求から告げる事にした。

『実は俺たちは今、住む場所を探してるんだ』

「はあ？　だったら森にでも住めば良いじゃろ」

『それがそうもいかない理由がある。実のところを言えば、アンタらの所に一緒に住まわしてくれないか？　という提案なんだが』

「はん！　儂らがエルフどもと一緒に暮らすぅ～？　あり得ると思っとるのか？」

老人ドワーフは鼻の穴に指を突っ込みホジホジ、取り出した鼻くそを練り練り、ピンッと指で弾きながら答えた。きたね。

いやいやまあ、ここまでの反応は予想通りだ。

ドワーフたちが「一緒に暮らそうぜ」と言われて「うん！　良いよ！」と答えてくれるとは、流石に俺も考えていないからな。

『まあまあ、とりあえず話を聞いてくれ』

「やなこった！　エルフどもと話す事なんぞ、儂らにはないわい！　シッシッ！」

しかし、聞く耳も持たないのは流石に困る。

なので俺は、仕方なく早々に手札の一枚を切ることにした。

交渉の手札の一つとして用意しておいたんだが、そもそも交渉もできないのでは話にならないから仕方ないだろう。

『あー、だったら飯でも食いながら話をしないか？　もちろん、飯はこちらで用意する』

「飯、じゃと……？」

途端、ドワーフたちはゴクリと喉を鳴らした。

ドワーフたちは確かにずんぐりむっくりで身長の割に筋肉質な見た目だが、その頬は痩《こ》けている者たちが多かった。おまけに服や装備のサイズも、少し合っていないように思われる。

おそらく、彼らが痩せてしまったためにサイズが合わなくなってしまったのだろう。

ドワーフたちと交渉するにあたって、交渉相手のことを事前に調べるのは当然だ。

俺はヴォルフたち狼人族などから、彼らが知る限りのドワーフについての話を聞いていた。

その中にはドワーフたちが慢性的な食料不足に陥っているという話があったのだ。

霊峰フリズスは魔素が豊富なために魔物などの食料に成り得る生き物は多い。けれど、この周囲に生息する魔物たちは、どれも容易に狩れる存在ではなかった。

それゆえに狩りで食料を賄うのは困難であり、狼人族たちとの交易で食料を仕入れるのも、越えなければいけない距離を思えば微々たる物だ。

整備された道もなく、食料などの嵩《かさ》張《ば》る物を大量に持って来られるわけがない。

ヴォルフの話では狼人族以外ともドワーフたちは交易を行っているらしく、食料は主にそちらから仕入れているらしい。しかし、「距離以外」のとある要因から仕入れられる食料の量にも限界があり、それではドワーフたちが必要とする分の食料には満たない。

かといって自分たちで農業をするにも、洞窟暮らしのドワーフたちでは無理だ。

洞窟の外で畑を耕すのも、強すぎる魔物たちの問題で同様に不可能である。

――とまあ、これ以外にも人口が当初より増えてしまったなど、色々と要因はあるらしいが、つまるところ食べる物に困窮しているのが、この里に住むドワーフたちの現状らしい。

なので食事を御馳走するよ、と言えば乗ってくると思ったのだが――、

「む、むぅ……いや、ダメじゃダメじゃ！」

確かにそれまでとは違い悩む様子を見せたものの、老人ドワーフはそれすらもダメだと首を振ってしまう。

『何でだよ？　良いじゃん、ちょっとくらい』

予想を外されて困惑した俺は、素直に聞いてみた。

「狼人族はともかく、エルフどもを里に入れるわけにはいかん！」

『ああ、なるほど』

どうやらドワーフたちの里の中で食事しようぜ、と言われていると判断していたようだ。

ふむ……と俺は考える。

ドワーフたちをエルフの里へ案内するのも良いが、数が多すぎるしな。

せっかく景色も良いし、このままピクニックと洒落込むのも良いかもしれない。

『いや、この場で食事しながら話そう。それなら良いだろ？』

と、隙のない提案をしたのだが――、

「良いわけあるかいッ!!　こんなところで食事って、お前らは死ぬ気か!?」

『え、なんで？』

外で飯食うくらいで大袈裟だな――と思ったが、どうやら俺の方が間違っていたらしい。

「こんなところで飯なんぞ食ってたら、ワイバーンやら他の魔物やらが大挙して押し寄せて来るじゃろが!!」

『あー、なるほどなー』

納得。かといってエルフの里に上がってもらうにしても、魔物が襲ってくるのは同じと言える。

この辺の魔物どもは相手がどれだけデカかろうと襲いかかって来るからな。

しかし、移動中ならばともかく、止まっている今なら何とかなるだろう。

『それについては大丈夫だ。ちょっと待っててくれ』

「はぁ!?　何が大丈夫なんじゃい!?」

『セフィ、ちょっと体を預かっててくれ』

「いいよー」

俺はセフィにそう告げて、意識を本体へと移した。

ずっと放置していれば精霊体は空気に拡散して消えてしまうが、数分程度なら問題なく残る。

そして意識のない精霊体は弱い風でも簡単に流されてしまうから、誰かに摑まえていてもらう必要があるのだ。

それはともかく、本体に意識を戻した俺は広範囲に『結界』を発動させた。

我ながら膨大と言って良い大量の魔力を放出し、洞窟の前で向かい合うドワーフたちとエルフたち、それからエルフの里全体を覆うほどの巨大な結界を作り出す。

物理結界、魔法結界、幻惑結界をそれぞれ一つずつだ。

前二つの結界の効果は説明するまでもないだろう。

最後の一つ、幻惑結界の効果は認識阻害だ。

結界の外にいる者は、結界内部の様子を認識する事ができない。

まあ、相手の力量や所有しているスキルによっては見破られてしまう事もあるが、多めの魔力を消費して作り出したので、ここらの魔物にでも十分通用するだろう。

結界を生み出した俺は精霊体に意識を戻し、セフィに礼を言いつつ老人ドワーフの前にふわふわと戻る。

「今のは……結界か？」

ドワーフたちは皆、大口を開けて上空を見つめていた。

それから我に返った様子で俺に視線を戻すと、信じられない、とでも言いたげに問う。

『ああ、これでしばらくは魔物も近づいて来ないはずだ。まあ、万が一近づいて来ても、物理結界と魔法結界も張ってるから問題ないと思う』

「……」

『で、これなら良いだろ？』

老人ドワーフはふるふると首を振る。

しかしどうやら、それは否定の意味ではないようだ。

「なんちゅう魔力じゃ……化け物か」

『精霊だ』

どうやらドワーフたちも魔力を感知する事ができるらしい。

『魔力感知』のスキルがなくても、大きな魔力なら訓練次第で感じる事ができるとローレルも言っていた。ドワーフたちに『魔力感知』のスキルがあるかは知らないが、結界を張った時の魔力を認識できたのなら、驚くのも無理はないのかもしれない。

老人ドワーフはなぜだか諦めたように脱力しているので、勝手にこちらの提案を受け入れたものとして扱おう。

俺は簀巻きにされた長老の傍に立っているローレルを振り向き、里にいるメープルたちへ伝言を頼んだ。

『んじゃ、ローレル。悪いんだけどメープルたちに食事を持ってきてくれるよう伝えてくれるか』

「了解です」

第四十八話　俺の○○をお食べよ！

実はメープルを筆頭に、里の女性陣には事前に料理を用意しておいてもらっていた。

しかし予想外にドワーフたちが集まってしまったので、数が足りないかとひやりとしたのだが、どうやらワイバーンの薫製肉や、傭兵たちが持っていたマジックバッグの中に入っていたパンなど――そのまま出せる食料を放出する事で、全員へ行き渡るくらいの料理を用意してくれたらしい。

メープルたちには感謝である。

ちなみに、マジックバッグの中に入っていた食料は、意外な事に保存食などではなかった。

温かい物を入れたり、氷を入れたりして試してみた結果、どうやらマジックバッグの中に入れた物は劣化しない――というより、内部では時間の経過がないようだったのだ。

そのため、わざわざ不味い保存食を用意することなく、普通の食材を持ち歩いていたのだろう。

だからか、ドワーフたちに提供したパンも普通に柔らかいパンだ。

しかし、わざわざメープルたちに料理を用意してもらったのは、何もドワーフたちの腹を満たすためではない。

美味しい料理で懐柔《かいじゅう》するためだ。

なのでメインとなるのはパンやワイバーン肉ではなく、メープルたちに調理してもらった料理の数々なのである。

下草に覆われた地面には直接座っても問題はないが、さすがに料理をそのまま地面に置くわけにもいかない。

『さあさあ、食べてくれ』

エルフの里の女性陣が大皿に乗せられた数々の料理を持って現れ、男性陣が皿を置くための足の短いテーブルを運んでくる。

ちょっと行儀は悪いが、地面に座って食事をする形になるだろうか。

ドワーフたちは数が多いので、メープルたちが給侍役を買って出てくれて、小皿に取り分けられた料理とパンが順々に配られていく。

料理とテーブルは向かい合う両陣営の間に置き、これでもかと料理を積み上げたところで、俺はドワーフたちに料理を勧めた。

しかし、目の前の料理の数々に唾を飲み込みながらも、なかなか手をつけようとはしない。

まさか毒を盛ってるとでも疑っているのだろうか?

そんな中――、

「おいふぃよー?」

御輿から下りてテーブルの前に陣取ったセフィが、誰よりも先に猪肉《いのししにく》の煮込み料理を口に頬張り、「食べないの?」とばかりに老人ドワーフたちに言う。

こちらから食べ始めることで料理に毒が入っていない事をそれとなく証明しつつ、幼女特有の無邪気さでもってドワーフたちの警戒心を吹き飛ばす！

もちろん計算してやっているわけがない！　天然だぜ！

そんなセフィの姿に毒気を抜かれたのか、ドワーフたちは互いの顔を見合わせたかと思うと、白髪の老人ドワーフが代表して料理へ手を伸ばす。

どうやら最初に食べるのは、セフィが食べた猪肉の煮込み料理らしい。

大きめの木匙で煮込みを口に入れた瞬間、老人ドワーフが目を見開き硬直する。

だけどそれも一瞬だ。

すぐに咀嚼《そしゃく》が開始される。

ゆっくりと、変な味がしないか、あるいは毒が混ぜられたりはしていないか、食べても大丈夫なものか、それらを調べるように慎重に咀嚼し――そして飲み込んだ。

はふぅ――と、ため息のような息を吐く。

「ど、どうじゃ……？」

「どうした、毒か？」

「いや、とんでもなく不味いのかもしれん」

そんな老人ドワーフの様子を見て、周囲のドワーフたちが問う。あるいは予想する。

当の老人ドワーフは、まるで長年の修行を終えた僧のような神妙な顔つきで、静かに感想を口にした。

「――美味い」

と。

「脂身《あぶらみ》に獣臭さは一切なく、癖のない肉の味は上品な旨味と甘味を噛めば噛むほど醸し出す。さりとて肉が硬いわけでもなく、むしろ口の中でホロホロと溶けるように消えていく食感は官能的ですらある。煮込みの濃い味付けは素材の味を殺すかと思ったが、そんな事もない。むしろ濃いスープの味が口の中を支配するのは一瞬、咀嚼した瞬間に溢れ出す肉汁はどんな香辛料よりも雄弁に存在を主張する」

いや長ぇよ。

「つまり……?」

恐る恐る、というように問う言葉に、老人ドワーフは厳かに頷いて答えた。

「――酒には劣るが、かなりの美味じゃ」

「「お、おお……!!」」

そんなに美味しいのか!?　みたいにドワーフたちが感嘆の声をあげるが、ドワーフ的にはかなりの好評価な感想だったのだろうか。

「う、うむ。ならば、その肉は食っても大丈夫そうだな」

「儂もその肉を食ってみよう」

と、ドワーフたちの手が一斉に猪肉へ伸ばされそうになったところで、

「これもおいふぃよー?」

セフィが、今度は皮付きフライドポテトを頬張りながら勧める。

なんと言ってもこのポテト、実は俺が蓄えた地下茎だ。

食用を前提としてあまり【魔力】を蓄えていない物なのだが、養分はたっぷり詰まっている。

そんな俺のジャガイモを、クレイジーボアから採ったラードを混ぜた油で揚げたのが、この皮付きフライドポテトである。

「ど、どうじゃ……？　どうなんじゃ？」

一人のドワーフが恐る恐るといった感じでフライドポテトに手を伸ばし、それを口に運んだ。

仲間の問いに、新たなる公式を見出ださんとする数学者のような顔つきで、慎重に答えを口にした。

「単に芋を油で揚げただけの料理。確かに単純極まる料理じゃろう。味付けも塩のみで、実際複雑な味がするわけでもない……。しかし、どうじゃ？　この外側のサクサクした食感と内側のホクホクとした食感のハーモニーは……？　嚙めば嚙むほど滲み出す芋の旨味を、表面にまぶされた僅かな塩がさらに引き立てる。いや、それだけではない。揚げ油自体にも、何か工夫がされておる。おそらくは……ラードじゃな？　植物油だけでは出せぬパンチの効いた強い旨味。芋、油、塩のみで調理されたこれは素材の美味さを率直に伝えてくる。もしもここに良く冷え、炭酸の強いエールがあったとしたら……儂は、悪魔に魂を売っても良いじゃろう」

芋一つでどんだけ喋るんだコイツ。

「つ、つまり……？」

周囲のドワーフたちが恐る恐る、といった様子で聞く。

「酒には劣るが――思わず酒が飲みたくなるほどの、美味じゃ」

「「「お、おお……!!」」」

ドワーフ的には目を輝かせるくらいには好評価であるらしい。

周囲のドワーフたちが一斉にフライドポテトへ手を伸ばそうとしたところで、

「これもおいふぃよー？　あとね、これとー、それとー、あれもセフィはすきだなー」

と、セフィが卓上の料理を次々に指差していく。

顔を見合わせたドワーフたちが、恐る恐るといったようにそれらに手を伸ばし――、

「「「酒には劣るが、美味い」」」

一様に声を揃える。貶《けな》しているのか褒めているのか、そこはかとなくモヤッとするが、たぶんドワーフなりの賛辞なのだろう。たぶん。

『で、俺たちの話、聞いてくれるか？』

そろそろ良いだろうと話しかけてみれば、

「んむ？」

老人ドワーフはモグモグと口の中の物を咀嚼し、飲み込んでから渋々といった感じで頷いた。

「良いじゃろう。話だけは聞いてやるわい。話だけはの」

まあ、色々言いたい事はあるが、許可は得たので俺は語っていく。

俺たちエルフと狼人族が、なぜ新たに住む場所を求めているのか、その理由を――。

第四十九話　ドワーフたちの事情

　エルフたちがかつて住んでいた都市、アルヴヘイムが教国によって壊滅させられた事はドワーフたちも知っているようだった。

　なので説明したのは、都市が滅んだ後にエルフたちがヴァラス大樹海に隠れ里を築き、暮らしていた事。

　そして、おおよそ三週間前に隠れ里が教国の騎士と思われる人物と多数の傭兵によって襲撃された事。

　教国にエルフの隠れ里が把握された恐れがある事から、里を移す事に決めた事。

　とりあえず、そこまでの事情を聞いた老人ドワーフの反応が、

「なぁんで儂らのところに来るんじゃい！　どこにでも好きな場所に行けば良いじゃろがッ！」

　という、酷く迷惑そうな言葉だった。

　ドワーフたちも教国の人族至上主義については承知しているし、むしろ「一番最初の被害者」でもあるのだが――それはともかく。

　そういうわけでドワーフたちにとっても自分たちの里の場所を教国に知られる事は避けたいのだ。

それゆえに俺たちが来た事を迷惑に思うのも理解できる。

もしかしたら、俺たちの後を追って教国の連中がやって来ないとも限らないからだ。だが、

『いつまでも教国の連中から逃げ続けて隠れ住んでても、そうそう事態が改善するとは思えないだろ？　むしろ時間が経つ毎に悪くなるだけだと思うが』

教国の持つ力は、偏った独善的な思想の国家が持つべきではないほど、いまや肥大している。

だからこそ、エルフやドワーフなどの人族以外の「人類」――教国は亜人と呼ぶ――は、何もせずにいれば、いずれ追い詰められてしまうだろう。

「……儂らには関係ないわい」

老人ドワーフは、教国から「逃げ続けている事」も「隠れ続けている事」も否定しなかった。

その上で関係ないと発言したものの、その表情は自らの言葉を信じているようには見えない。

決して関係ないはずがない事を、ドワーフたち自身が痛いほど理解しているからである。

「……で？　それとこれと、儂らがエルフどもを受け入れる事と、何の関係があるんじゃ？」

だからこそ、話を打ち切らずに先を促してきたのだろう。

『教国に対抗するには、残念ながら俺らだけでは無理だ』

「じゃろうな」

今のエルフの里より、遥かに規模も大きく人口も多かったアルヴヘイムでさえ、教国には屈してしまったのだ。おまけに聞くところによると、先代のハイエルフは数千年も代替わりを経ていない

――つまりはそれだけ強大な力を持っていたという。

おそらくは、今のセフィの何倍、何十倍もの力を持っていたのだろう。

それでも新神たちには勝てなかった。

ならば余計、今の俺たちでは教国に対抗するのは不可能――だが、

『俺たちだけで無理なら、他の奴等とも協力するのが良い――と考えるのは、普通だろ？』

ならば仲間の数を増やすまでである。

そのために、ドワーフたちと協力できたら――ということだ。

「儂らを取り込んだところでどうにかなる戦力差ではあるまい。無駄な抵抗をするより、逃げ隠れしておった方がよっぽど賢い選択じゃ」

彼の言葉も、確かに正論ではある。

「それにクソエルフどもと一緒に暮らすなど虫酸《むしず》が走るからの」

加えて、エルフとドワーフの確執を解消するほどの理由にはなり得ないようだった。

だが、こちらもそれなりにドワーフたちの事情というものを把握しているのだ。

『おいおい、そんなこと言ってる場合か？　見たところ、アンタらもだいぶ困窮しているみたいだが？』

ドワーフたちの痩せてやつれた姿を見れば分かる。

狼人族たちとの取引がなくなったところで、元々食料のやり取りはほとんどしていなかったという話だ。人口も爆発的に増えたという事はなく、長命種らしく微増しただけという話もヴォルフから聞いている。つまりドワーフたちが痩せた原因は別にあるのだ。

彼らが食料を仕入れていた相手は——ヴァナヘイムという名の多種族国家であるらしい。

元々大量の食料を仕入れていたわけではないそうだが、それでもアルヴヘイムが滅んでから、取引の回数も量も減少傾向にあったという話だ。

というのも、ヴァナヘイムは地理的に教国の西側にあり、しかも国境を接している。

そこまで分かれば、後は簡単に推測できるだろう。

行き過ぎた人族至上主義を掲げる教国が、ヴァナヘイムという国に対して不干渉を貫くわけがないのだ。

もしも教国がヴァナヘイムへ侵略戦争を仕掛けているとしたら、ドワーフたちとの交易に支障があってもおかしくない。

そもそも、ドワーフたちは昨日今日でここに住み始めていたわけでもない。

少なくとも20年以上前には、彼らはここに住んでいたらしい。

かつて教国は、ドワーフたちの技術を手に入れるため、彼らを奴隷として捕まえようとした。

それに当然反発したドワーフたちは教国の軍勢によって滅ぼされたが、大部分は逃げ出し、その一部が霊峰フリズスの麓にて隠れ里を築いた。

ドワーフたちも教国によって虐げられた者たちなのだ。

要するに、アルヴヘイムが滅び、教国のヴァナヘイムへの侵攻が激化した結果、ドワーフたちとの交易が滞り食料不足に陥っている——というのが彼らの現状であるようだ。

『今、アンタらが食った料理だが』

「あん？」

『大部分は俺がスキルで育てた作物なんだ。肉もワイバーン以外は家畜で、飼料に俺が作った木の実とか使ってるし、ワイバーンだって狩ろうと思えば群でも狩れる』

「なんじゃと？」

ドワーフたちは驚いたように卓上の料理を見つめた。

『それから、作物を収穫するのに時間はかからない。いつもすぐに収穫できるってわけじゃないが、2、3日もあれば結構な量を用意する事ができる』

『光合成』と『エナジードレイン』で回収したエネルギーを『種子生成』や『地下茎生成』で食料にするのには、それほど苦労はない。

ドワーフたちが何人いるのか、正確なところは知らないが、彼らを養うのに十分な食料は作り出せると思う。

もしも俺だけでは無理ならば、新たに種子から配下を生み出し、手分けして作れば確実だろう。

もちろん量が増えれば時間もかかるが、それでも食料不足で痩せ細るような事にはならないはずだ。それだけは確かである。

『まあ、つまり、俺たちを受け入れてくれるなら、十分な食料を提供できるって事だ。それならアンタらにもだいぶ利があると思うんだが？』

「ぬ、ぬぅ……！」

老人ドワーフは苦々しげに顔をしかめる。

しかし変に意固地になっているのか、それとも頑固なだけか、簡単には頷かない。

それも予想はしていたし、そもそも俺はまだ最大の手札を切っていないのである。

『……料理、美味かったろ？』

「……まあまあじゃな」

と聞いてみれば、不承不承といった感じで老人ドワーフは首肯《しゅこう》した。

『自慢じゃないが、俺の作った果物や野菜は美味いと評判なんだぜ？』

「……ふんっ」

「ねえユグ、セフィしょくごのでざーとにモモたべたい」

『――え？　あ、うん。ちょ、ちょっと待ってくれ。今大事な話してるから、後でな？』

「……はやめにしてね？」

自由か。シリアスな雰囲気がぶち壊しである。

突然割り込んできたセフィをいなしつつ、老人ドワーフとの会話を再開する。

『ごほんっ……で、だが』

「……」

『俺は野菜だけじゃなく、穀物も作れる。そんな俺の果物や穀物で、酒を作ったらどうなると思う？』

「なん……じゃと……!?」

どうやら理解できたようだな。

老人ドワーフのみならず、周囲で話を聞いていたドワーフたちが戦慄の眼差しを向けてきた。

俺がスキルで生み出した最高の素材で、エルフという最高の作り手が酒を作る。

『さあ、想像してみるが良い……その酒の味を』

「くっ……！　舐めるな！　今更エルフの酒なんぞで儂らを懐柔できると思ったら大間違いじゃぞ!!」

『くっくっくっ！　何時までその強情な口振りが続くのか見物だな。……メープル』

俺は既に勝利を確信していた。

思えばドワーフとの交渉など、俺にとってはあまりにも相性が良い事だったのだ。

ここに来るまで二週間、なにも用意したのは料理ばかりではない。むしろ酒をこそ、エルフたちの助けを借りて念入りに準備してきたのだ。

なので思わず余裕の笑みを漏らしつつ、セフィの傍で甲斐甲斐しくソースなどで汚れた口許を拭っていたメープルに声をかける。

「はい、精霊様」

『すまんが、里からあの酒を持ってきてくれ』

「かしこまりました」

『それから』

と、言葉を付け足す。

『セフィ用に作り置きしてた桃があるから、それも持ってきてくれ』

ふっ、勝利は目前だぜ。

第五十話　お酒には勝てなかったよ……

メープルと数人の女性たちが、エルフの里から何本もの酒を持ってくる。

陶器製の小さな甕《かめ》に入れられた酒で（ガラス瓶がないためだ）、合計すればここにいるドワーフ全員に行き渡るくらいの分量はあるが、まだ全員には配らない。最初に老人ドワーフに飲ませて、判断してもらうつもりだ。

で、今回ドワーフたちに用意したのは葡萄酒と林檎酒の二種類である。

しかし当然、ドワーフの里に来るまでの二週間程度では、普通にやってはこれだけの酒を作ることなどできない。

気温と湿度に影響されるとはいえ、葡萄酒などは一週間から二週間程度で一次発酵が終了するものもあるが、すべての工程を終えるのには時間が足りなさすぎる。単に酒になれば良いという条件であれば、季節次第で可能かもしれないが。

どちらの酒も普通に造ろうと思えば、三ヶ月くらいは時間が欲しいところだ。

――なので、そこで活躍するのが水属性の「生命魔法」と「氷雪魔法」である。

エルフたち曰く、生物の生命力を高める方向で「生命魔法」をかけると、果実が発酵する日数を短縮する事ができるらしい。

しかしそれだけだと、不思議な事に発酵が中途半端に終わってしまうのだとか。

何やら発酵を促進すると熱が発生してしまい、それが何かに影響するようだ。

だが「氷雪魔法」で適切な温度に下げてやる事で、「生命魔法」を使っても最後まで発酵を進める事ができるようである。

まあ、酒造りに関して俺は明るくないので、詳しいことは割愛する。

要するに、魔法を利用する事によって短期間で酒を造れるという事だ。

ちなみに「氷雪魔法」は俺は使えないが、エルフたちの中には使える者も何人かいたので手伝ってもらった。

だが、それでも問題はあるのだ。

通常、酒は出来たからといってすぐに飲むわけではない。

物によって期間は異なるが、一季節分から1年、あるいは高級な蒸留酒であれば十数年の熟成期間をおくこともある。

さすがに熟成期間を魔法で短縮する事はできないのだ。

だから、ドワーフたちに出した酒はほとんど熟成させていない若い酒なのだが……そこは酒造りに協力してくれたエルフたちの言葉を信じるしかないだろう。

使用した葡萄と林檎は、エルフたち監修のもと、最も酒造りに適した味になるように試行錯誤した果実なのである。

加えて果実を作る時、【生命力】と【魔力】を食用としてはちょっと多めに注ぎ込んでいる。

どうにも、エルフや狼人族——というか人類全体に言える事だが、それらが多い果実を食べると特に「快」の感覚が湧き起こるらしいのだ。

もちろん、体に有害だったり、何か副作用があるわけではない。

とっても健全だし、むしろ健康的だ。

——とまぁ、そんなふうに生み出した俺の果実で造った酒は、エルフたちからしてみても満足のいく品質に仕上がったと太鼓判を押してもらった。

時間があればまだ上を目指せるそうだが——残念ながらその時間はない。しかし、ドワーフたちを唸らせるには十分だろうと言ってくれた。

「——どうぞ、ご賞味ください」

メープルが木製のコップに注いだ酒を、老人ドワーフの前に並べていく。

老人ドワーフは卓上に置かれた酒を真剣な眼差しで見つめた。

まるで自らが打った剣の出来映えを確認する匠の鍛冶師のごとき、一寸の瑕疵《かし》も見逃さないような、恐いほどの視線。

ドワーフ相手には酒でも出しときゃ何とかなるだろ——と、俺は安易に考えていた。

しかし、ドワーフだからこそ、酒には微塵の妥協も許さないのかもしれない。

もしも俺が汗を流せる体であったなら、背筋に冷や汗をかいている事だろう。

ごくり——と、誰かの喉が鳴った。

「…………」

一言も発する事なく、老人ドワーフがコップを持ち上げる。

そして――飲む。

まずは一口。

「……ふむ」

そう呟いた顔に変化は見られない。

流石に熟成していない酒では駄目だったかと自らの浅薄さに今更忸怩《じくじ》たる想いが湧き上がる。

しかし、すでに賽《さい》は投げられているのだ。どうしようもない。

「……」

再び沈黙のまま、老人ドワーフは葡萄酒を口に含んだ。

飲み干し、鼻から抜ける香りを確認するように長く息を吐く。

そして――飲む。

飲む。

飲む。

「…………」

結局は出された酒、すべてを飲み干した。

しかし、その顔は厳めしくしかめられたままで、一言も発していない。

酒の味を反芻《はんすう》するかのように閉じられていた両目が、静かに開かれる。

（クソ……駄目、だったか……）

言葉を聞くまでもない。

老人ドワーフの瞳に宿る光は、決して友好的なものではなかった。こちらを射抜くような視線に宿るのは、自らの命を捨ててでも抗うと言うかのような戦士のごとき眼光。

「この酒は、まだ若いのう……」

（やっぱり気づいたか）

老人ドワーフの口から語られるのは、飲んだ酒の欠点だ。

こちらの弱点を一突きするかのような、鋭い一撃。

「まったく角がとれていない。舌を刺すような刺激ばかりが先に立ち、完成された酒とは到底言えぬな。水分と酒精が十分に混ざり合っていない証拠じゃ」

——敗北。

その文字が脳裡に浮かび上がる。

これが、俺がドワーフたちを侮った結果なのだろう。

かくなる上は、大人しく樹海に帰り、教国の追っ手に怯えながら各地を彷徨《さまよ》うように流浪するしかないのだろうか。

俺自身への失望で、そんなふうに思った時だ。

「しかし——」

と、老人ドワーフが続けるのだ。

「美味い。いや――美味すぎる……!!」

『え？』

　思わず老人ドワーフを見れば、敵対的な視線の中に、隠しきれない歓喜が垣間見えるという複雑な表情を浮かべていた。

「香りが薄いわけではない。素材自体の香りは残り、清々しく鼻腔を通り抜けていく……！　まろやかさはなく鋭い酒精も、しかし、それはそれで刺激的で良い……！　蔵から出すには若すぎるとは思うが、その味はすでにそこらの凡百の酒とは一線を画しておる……ッ！　となれば、これをきちんと熟成させたときのポテンシャルは如何程のものかと想像すると、儂はっ、儂はぁ……ッ!!」

『え？　え？』

「なによりィ！　口から喉を通り胃の腑へ落ちる感触すら心地よいのはどういうわけか!?　分かる！　儂には分かるんじゃあ！　酒を吸収した体が！　その隅々まで喜んでおるのが！」

　何か語り出した老人ドワーフは、その両目から滂沱《ぼうだ》の涙を流していた。

「この快感を知ってしまったら、もはやこの酒無しには生きられんくなるッ!!」

『……そこまで？』

「くそぉおおおお!!　儂は悪魔に魂を握られてしもうたッ！　この酒無しには生きられない体にされてしまったのじゃあああああ！　うぉおおおおおおん！！！」

　いまや老人ドワーフは号泣していた。

　俺は呆気にとられながらも、半ば無意識にだめ押しのプレゼンを開始していた。

『あ、えっと……もちろん、ちゃんと熟成させればこれらの酒はまだまだ美味くなるし、他にも米とか麦とか芋で造る酒もあるし、量も十分なくらい用意できると思うんだけど…………どう？』

だが、問いに対する答えは返って来なかった。

老人ドワーフは号泣したままで、口を開いたのは他のドワーフたちだ。

「わ、儂らにも飲ませろ！」

「はよう！　はよう！」

「ど、どんな酒なのか見極めてやるわい！」

「儂らだって飲んでみんことには判断できんじゃろが！」

『……メープル、頼む』

「かしこまりました」

血走った目で催促するドワーフたち。

俺はメープルに頼み、全員に酒を配ってもらった。

ドワーフたちはそれぞれに酒を飲み――、

「確かに若い。しかし突き抜ける爽やかな香りとキレの良い酒精の相性は決して悪くないように感じられる」

「それにこの味じゃ。今まで飲んだどの果実酒よりも、雄弁に存在を主張する果物自体の味は何じゃ？」

「喉ごしも悪くない。いや……良い。角のある酒精じゃが嫌な刺激ではない。スルスルと流れるよ

うな喉ごしは、長年の宿敵なれど流石はエルフの酒と言う他あるまい」

「じゃが、何よりも素晴らしいのはこの感覚よ。確かに儂にも分かる。五臓六腑に染み渡った酒が、全身を賦活《ふかつ》させていくような感覚が……！」

「おお……！　全身に澱んだ疲労が洗い流されるようじゃ……!!　肉体が産声《うぶごえ》をあげておる……ッ!!」

「儂にも分かるぞ！　きっとこの酒ならば幾ら飲んでも二日酔いになる事はない！　良い酒は後に残らないという、いにしえに伝わる格言は真実じゃったんじゃあ……!!」

まるで憧れのお姉さんを見る年若き少年のような瞳で、ドワーフたちが口々に述べる。

そんな同胞たちとは対照的に、ようやく少しばかりの落ち着きを取り戻したような顔の老人ドワーフへ、俺は問いかけた。

『――で、時間があれば酒は幾らでも造れるけど、俺たちもドワーフの里に一緒に住んで、良い……？』

老人ドワーフはこちらを真っ直ぐに見返した。

その瞳は純粋無垢な光を宿し、澄みきっていた。

「反対する奴がいたら、儂がぶん殴ってでも説得してやろう」

『……』

それはつまり、長年のエルフとドワーフ、両種族の確執を越えて手を組む事を了承した、という返事だった。

「――やったぁ！」

と、たぶんよく分かっていないけどセフィが喜び、

「おめでとうございます！」

と、メープルが俺を労《ねぎら》ってくれて、

「やりましたね！」

「やったっすね！」

ローレルとウォルナットが歓声をあげる。

――ドワーフ、チョレぇぇぇぇぇぇぇぇぇぇ！！！

俺はドワーフたちのあまりのチョロさに、脱力した。

第五十一話　おいでませ、ドワーフの里

ドワーフたちとの交渉は、滞りなく終了した。

５０００年の確執とやらは何だったのか、という一抹の不満はあれど、交渉が纏まったのだから文句を言うべきではないのだろう。

「酒は持ったか？　他の連中にも飲ませんことには説得は難しいからの」

そう確認してきたのは、老人ドワーフ。

聞けば彼はドワーフの隠れ里の長老であるらしい。

ちなみに名前はゴルドと名乗った。

『ああ、里から持って来てもらった』

そう答えて背後を振り向けば、男衆が大きめの甕を担いでいる。

ドワーフの里の人口をゴルド老に訊ねたところ７００人ほどだと言うから、おそらくは十分間に合うだろう。

ちなみに、７００人という人口から考えて、どうやら外に出てきた連中はドワーフの男手がほぼ総動員されたらしいな。

　一応俺たちの背後にはエルフと狼人族全員が集まっているし、その男衆のかなりの数で運搬するのだから、酒の量はだいぶ多いと見て良い。

　しかし、ゴルド老は難しげな顔で唸る。

「う～む、足りるかのう」

『いや足りるだろ』

　先ほど３００人弱のドワーフに配った量から換算しても、余裕のある量のはずだ。

「そんな量では夜まで保つかどうか……」

『どんだけ飲むつもりだ！　説得用に味見してもらう分だけに決まってんだろ！　っていうかドワーフ全員に酒を造るのは約束したけど、そこそこ時間かかるんだからな。そんなペースで飲まれても困るんだけど。全然熟成しなくて良いなら構わないけどよ』

「うむ……そうなのか。そいつは残念じゃ……ところで、一度に仕込める酒の量はどれくらいじゃ？　量によってはお主の言うように長期間寝かせる事は不可能になるやもしれん。そこら辺ちゃんと考えてもらわんと」

『熟成用の酒まで飲み干すつもりか……？　そこは我慢してくれよ』

　などと言い合っていると、エルフたちと狼人族たちの準備も整ったようだ。

　背後から皆を代表してローレルが言う。

「精霊様、私たちの準備は整いましたよ」

『おう、そっか。じゃあ行こうか。いざ、ドワーフの里へ！』

そうして俺たちは崖に穿たれた洞窟、その先にあるというドワーフの隠れ里へ向かって出発し——、

「って待てぃッ!!」

——ようとしたところで、ゴルド老が俺たちの足を止める。

『え、なに？』

不思議に思って聞き返せば、彼はエルフたちの集団の一ヶ所を指差して震えていた。その目は大きく開かれ、なぜか怯えているようにも見える。

「あ、あれは何じゃぃッ!?」

『え？』

ゴルド老の指差す先を見れば、そこにいるのはまだ進化していないゴー君たちだ。近接系のウッドゴーレム、茨型ゴーレム、蔦型ゴーレムが勢揃いしている。

『あー、あれはゴー君って言って、俺の作ったプラントゴーレムだな』

「ゴーレムか何か知らんが、駄目じゃ駄目じゃ！　あんなモン連れて行ったら里のモンが怯えちまうじゃろが！」

「えー？　ゴーくんやさしいよ？」

と、セフィも擁護してくれたのだが、ゴルド老は「駄目じゃ駄目じゃ！」と言うばかりで聞き入れてはくれなかった。

まあ、確かに見た目には異形だし、恐ろしく思う気持ちも分からんではない。

いずれ慣れてもらうとして、ゴー君たちには悪いが今回は里で留守番をしていてもらう事にした。

俺はゴー君たちに指示を出し、とりあえず里を守っていてもらうよう頼んだ。

『んじゃ、改めて今度こそ出発す――』

「――ってお～いッ!!　アイツ！　何かさっきの奴らよりもっとエグい奴がいるじゃろ!!」

しかし、またしてもゴルド老がごねる。

まったく何だよ我が儘だなぁ、と思いつつ視線を転じれば、彼が指差しているのは全身甲冑姿で両腕の長い、鬼面姿の存在だ。

確かに見た目は恐いかもしれないが、話せば良い奴だという事がわかるだろう。

『アイツはゴー君が進化した存在で、名前は鬼太郎。見た目は恐いけど良い奴だよ』

『ははは、お戯れを、主上』

鬼太郎を紹介していると、こちらに近づいて来た。

鬼のごとき威容に怯えているゴルド老を尻目に、俺にそんなことを言う鬼太郎。どうやら殊のほかグラムという名前を気に入っているようだ。

いや……場を和《なご》ませるジョークなのに。笑い声に真剣な調子が混じっているように聞こえるのは、俺の気のせいだろうか？　……そんなにイヤ？　……しゅん。

ともかく――グラムはゴルド老に向き直ると、丁寧な仕草で一礼した。その動作からも理性のない怪物ではなく、礼儀を知る理知的な存在だと分かってもらえるだろう。

『お初にお目にかかる、ゴルド殿。我の名はグラム。聞けばこれから共に暮らす事になるのだろう？　ならば我らは同胞だ。我は同胞を害する事は決してないと誓おう。どうか信じていただきたい』

「お、おう……？　なんじゃ、中身は意外とマトモそうじゃの……まあ、ならお主はええわい」

どうやら恐れる存在ではないと理解してくれたらしい。

『良し、それじゃあ今度こそ行――』

「――儂は納得しておりませんぞぉおおお!!」

おいおい、今度は何だよ――と思いながら振り返る。

とは言っても、誰が叫んだのかなんて見なくても解る。地面に転がされている長老が叫び出したのだ。

拘束は未だ解かれてはいないが、口を塞いでいた詰め物を吐き出したらしい。

俺はスッとローレルに視線を向けた。

ローレルは以心伝心で頷き、騒がしいジジイどもを黙らせるべく動き出そうとして――、

「ここは僕にお任せを」

そう言って最初に前へ出たのはエムブラだ。

彼は地面で元気良くビチビチと跳ね回る長老ズの傍にしゃがみ込むと、その口もとへスッと手を当てる。するとあら不思議！　なぜか「はっ、はがッ！！？」とか言いながら白目を剝いて、長老ズが眠りに就くではないか！

「お爺ちゃんたちは色々あって疲れたようですし、僕も留守番しながら面倒を見ていることにしま

すよ」

全員をぐっすりと眠らせると、エムブラは慈愛に満ちた笑みを浮かべて老人たちの身を請け負うと言ってくれたのだ。

『そっか、じゃあ悪いけど頼むな』

「はい、お任せください」

俺たちは長老ズの身柄をエムブラに任せると、今度こそ本当にドワーフの里へ向かって出発したのである。

先行するドワーフたちの後に続いて洞窟の中へ入る。

完全な自然洞窟ではなく、中は歩きやすいように手が入っているようだった。

地面などはほぼ平らで、壁面や天井もアーチ状に整えられている。

しかし、十数メートルも進むと、すぐに行き止まりへ突き当たってしまった。

横道があるようにも見えないし、ドワーフの里どころか外に出てきた３００人弱でさえ到底暮らす事は不可能な空間だ。

そもそも、３００という大人数が入ることもできないだろう。

その不可解な疑問の謎は、目の前で起きている不可思議な現象によって説明されていた。

「おー！　すごい！　みんなきえてく！」

見たこともない現象に、セフィが瞳を輝かせて見入っている。

そんなセフィの視線の先で、前を行くドワーフたちが次々と「壁の中」に消えて行くのだ。

もちろんドアがあるわけでも扉があるわけでもない。

見た目は完全に洞窟の壁だ。

しかしドワーフたちは壁の手前で立ち止まる事もなく、足を止めずに平然と進んでいく。

そして壁にぶつかる事もなく、まるで水面に小石を投げ込んだような波紋を生じさせながら、壁の中に、あるいは壁の向こうへと消えて行くのだ。

俺自身、幻惑結界が使えるから解るが、洞窟の壁が単なる幻という感じはしない。おそらく本物の壁だろう。

しかし、何やら妙に周辺の魔素が濃い感じがする。

『ヴォルフから聞いてはいたけど――』

呟きながら、セフィと一緒に壁の中へ入って行く。

すると、すぐにその向こう側――いや、たぶん座標的にはきっと霊峰の何処でもない場所へ出た。

薄暗い洞窟内とはうって変わり、外とあまり変わらないほどに明るい。

しかし、やはり外ではないのだ。

『実際見ると、すげぇな』

そこは広大な空間が広がる洞窟だった。

背後を振り返って見れば洞窟の壁があるだけだが、おそらくここから外へ出る事ができるのだろう。

上を見上げれば遥か先に天井があり、地肌が剥き出しの天井からは幾つもの水晶柱のような物が突き出ている。

どうやら光はその水晶柱から出ているらしく、かなりの明るさだ。

そして洞窟内には石造りの建造物が幾つも建ち並んでいた。

おそらくはドワーフたちが暮らすために建てたものだろう。かなりの数の家や工房らしき建物がある。

それらを眺めていると、不意にゴルド老が振り向いて言った。

「どうじゃ？　ここが儂らの暮らす里にして、ラグナロク以前に造られた人工異界……まあ、俗な言い方をすれば、迷宮じゃ」

ドワーフの里は、迷宮の中にあったのだ。

「なっ、何なんだいそいつらはッ!?」

「エルフッ!?　クソエルフどもじゃないかいッ!?」

「アタイらと戦争でもしようってわけッ!?　上等じゃないか!!　かかって来なッ!!」

ドワーフたちの長老――ゴルド老に連れられて洞窟の奥にある隠れ里へ向かった俺たちを待っていたのは、そんな手荒い歓迎だった。

血気盛んに勇み立った多くはドワーフの女性たちで、手に手にフライパンやハンマーやお玉や鶴《つる》嘴《はし》などを持って俺たちの前に立ちはだかった。

ドワーフたちに先導されてやって来た俺たちだったが、どうにも彼女らは「不甲斐ない男どもがエルフに負けて隠れ里に押し入られた」と勘違いしたらしい。

ちなみに話は変わるが、ドワーフの女性陣の見た目は幸いにも髭モジャの筋骨隆々な、男性との違いが傍目には分からないような外見ではなかった。

ドワーフ女性たちは男性陣と変わらず背が低く、しかし髭などは生えていないためか、確かに幼く見える。しかし幼女かと言われたら首を捻らざるを得ない。

彼女たちは何というか――逞しいのだ。

幼女――というか、少女が全身の筋肉を鍛え上げたら、おそらく彼女たちのようになるであろうか。

そんな逞しく頼り甲斐のありそうな外見をしていた。

『まださっきみたいなの、やるの……?』

外でゴルド老たちとやったような展開の焼き直しに少々うんざりした俺は、集まった女衆に、さっさと無駄な抵抗を終わらせるために持ってきた酒を配る事にした。

『まずはこれを飲んでから文句を言ってもらおうか！』

もちろん、ドワーフ女衆はまだまだ文句とも怒声ともつかぬ声をあげていたし、説明を求める怒鳴り声も聞こえていた。

しかし、それらを完全無視して酒を手渡してやれば、途端に黙り出すのがドワーフという生き物だ。

既に彼女らの視線は酒の入ったコップに釘付けである。そして――、

「こ、こんな美味い酒を飲ませて、アタイらをどうするつもりだい!?」

――やはりドワーフ女性もチョロかった。

コップの中身を飲み干して腰砕けになった彼女らは口々に酒への賛美を口にする――でもなく、なぜか妙な事を口走り始める。

「まさか、アタイらの体が目当てってわけ……!?」

「この酒が欲しければ代金を体で払えってこと!?　そうなのねッ！！？」

『いや、ちが――』

「うわあああんッ!!　この人でなし！　でも、アタイはもうこの酒なしじゃいられない体にされてしまった……!!　こんなの犯されたも同然よッ!!」

『ちょッ!?　いやだから――』

「くッ！　夫に先立たれて20年……他の若いモンに辛い思いをさせるわけにはいかないよ。良いだろう……ここはアタシが人身御供になろうじゃないか！　……で、この酒を作ったのはどいつだい!?」

少しとうが立ったおばちゃんドワーフの言葉に、なぜか皆が一斉に俺を指差す。

『え？　え？』

「何だって……？　まさか人間でさえないなんて予想外もいいところだけど……まあ、良いわ。アタイがアンタの欲望、すべて受け止めてやろうじゃない」

『いやいやいや！　マジでいいですマジでいいです!!』

「さあ、こっちに来な！」

『ホントマジでいいです！　やめてッ！』

「女に恥をかかせるんじゃないよッ！　さっさと来なッ！」

『やめてくださいマジでお願いしますからッ!?』

俺を捕まえようとしてくるおばちゃんドワーフと、必死に逃げ回る俺。

……ここ最近では一番の、凄まじい恐怖を味わった。


「なんだい、アタイらの体が目当てじゃなかったのかい。それならそうと最初に言いなよ」

ガッハッハッ！　と、おばちゃんドワーフが豪快に笑い声をあげる。

ゴルド老たちやエルフたちの説明により、俺たちがここに来た理由をなんとか理解してもらう事ができたのである。

後少しでおばちゃんドワーフの自宅へ連れ込まれるところだった……。

危ういところで貞操（?）の危機を脱した俺は、セフィの腕の中で震えていた。

『こ、こわかった……恐かったよ……』

「よしよし」

セフィに撫でられる内に少しずつ平常心を取り戻していくが、俺は心に深い傷を負った。

「まあ、食料も酒もくれるって言うんなら、ここに住むくらい別に構わないんじゃないかい？　正直、アタイらも困ってたからねぇ。里の年寄り連中には頑固なのがいるだろうけど、あんまり気にしないでいいよ。ウチの長老も納得してるみたいだし、問題ないだろうね」

『そ、そっか』

俺はセフィの腕の中で顔の向きだけ変えて、おばちゃんドワーフに応じる。

今でこそ気の良いおばちゃんっぽく話しているが、いつ豹変して襲いかかって来るかと思うと警戒を解く気にはなれないのだ。

『それは助かるよ。これから……よろしくな』

本当によろしくして良いのだろうかと疑念が浮かぶが、ここまで来て引き返すわけにはいかないしな。

「あいよ。で、住むのは良いけど、アンタらどこに住むんだい？　家を建てるにしても、しばらくかかるよ?」

という言葉に、ハッとして洞窟内を見渡す。

ここはかなり広い空間があるようで、エルフや狼人族の暮らす家を作っても、スペースにはだいぶ余裕があるほどだ。

しかし、里の家を移築するにしても、樹上にあった家などはそのままでは移せないだろう。解体して建材として流用する事はできるだろうが。

『そうだな……しばらくは外の家に住むしかないだろうな』

里ごと移動してきた、というのはおばちゃんドワーフにも既に説明してある。

最初は半信半疑のようだったが、実際に外にある里を見せれば一発だ。

セフィの言う「ドラシル形態」を解除して根を地面に下ろせば、結界を恒常的に展開するのも可能だろう。

『しかし、家を建てるとなると大変だな……』

「何言ってんだい」

『え？』

俺の呟きに、おばちゃんドワーフがなぜか呆れたような顔で言った。

「家建てるくらい、アタシらに任せな」

『良いのか？』

「良いも何も、アンタらは酒と食料をアタイらに分けてくれるんだろ？　なのに手も貸さないなんて恩知らずはドワーフにゃいないよ」

おばちゃんドワーフの横で、ゴルド老ほか、男性ドワーフ陣も「うんうん」と頷いてくれていた。

それはエルフとの確執などきっぱりと水に流したかのような、潔くも気持ちの良い態度だった。

どこかの長老とは一味も二味も違うぜ。

「だ、だからアンタらは、ほら、アレだよ」

とか思ってたら、おばちゃんドワーフが顔を赤くし、どこか期待するようにチラチラとこちらに視線を向けてきた。

ゴルド老も同様に「分かってるだろ?」とでも言いたげな視線を寄越す。

「お主らはほら、アレじゃよ。アレ……せんといかんじゃろう?」

アレ。……まあ、アレね。はいはい。

『酒ね』

「そ、そうじゃ！　それじゃあ！」

どうやら家を建ててやるから、その間に酒を造っとけ、という事らしかった。

まあ、最初から分かってたよ。

第五十二話　促成栽培的力業食料生産

そんなこんなで、俺たちはめでたくドワーフたちとの確執を解消し、共に暮らしていく事になった。

ドワーフたちがエルフたちのツリーハウスを解体して運搬したり移築してくれる間、俺たちは洞窟の外で暮らす事になる。

俺はまず、「ドラシル形態」を解除した。

強固に編み上げた根を解き、洞窟の前に広がる地面に根を下ろして一体化していく。

エルフたちの里は少しばかり「盛り上がって」しまったが、これは元々里のあった場所の土が余分にあるためである。

まあ、多少見た目が不格好になるのは仕方あるまい。

それから念のため対照指定で三種の結界を恒常的に展開したら、これから必要となる大量の食料を生産するために「畑」やら「果樹園」やらを作らねばならない。

まずは果樹園。

酒にするも良し、エルフや狼人族たちの食料にするも良しの重要な場所だ。

最初は『種子生成』で配下となるトレントなり何なりを増やそうかと思ったが、それだと生産される果実の味が数段落ちてしまう。

そんなわけで拓けた場所に向かって根を伸ばしていき、離れた場所に根を伸ばし終えたら『変異』を使って根を果樹へと変化させる——と、数百本の果樹が広がる果樹園の出来上がりだ。

で、果樹園が出来たら次は畑。

生産物は麦類、米類、芋類などの主食となり得るものを主に育てる。

これも別の拓けた場所に向かって根を伸ばし、それを『変異』させて麦や米、芋の苗などにする。

麦と米は収穫しても根っこと茎さえ残しておけば、また再生させて問題なく収穫できるはずだ。

芋は掘り起こされたらそれまでだが、やはりこれも地中に残った僅かな根っこから苗を再生させる事ができるので、問題はないだろう。リボーンベジタブルだ。何か違う気もするが。

俺の知識では米は水田が必要だったかと思ったが、地中から繋がった根を通して水魔法で多めの水を生成してやれば、問題なく生育可能なようだった。おまけに滝の落下地点という事もあってか、ここら辺は川こそないものの水気は多い。

まあ、そんなこんなで主食用の畑を作り終えたら、あとは酒造りに必要なトウモロコシと、各種の野菜を作るための畑を、まったく同様の手順でもって用意する。

つまりは根を伸ばして『変異』で苗を生成し、育てるだけだ。

これら全てを終えるのに、だいたい一週間くらいかかったであろうか。

いまやエルフの里の周囲には、広大な果樹園と畑が広がっていた。

ちなみに畑がある場所は元々森だったが、建材としてドワーフたちが伐採したり、あるいは俺が『エナジードレイン』で枯らす事で開拓したのである。

こうして大分形になった果樹園と畑だが、同時に問題も浮かび上がっていた。

俺のスキルと植物魔法を併用することで、様々な作物をすぐさま収穫可能なまでに促成栽培することはできる。だが当然ながら、そのためには【生命力】や【魔力】や各種養分が必要になる。

今までこれほど大量の作物を一度に生産したことなどなかったから、まさかここまでそれらのエネルギーを消費するとは思わなかった。

『やべぇ、全然エネルギーが足りねぇ』

周辺の土地から『エナジードレイン』で養分を吸収し、『光合成』でエネルギーを合成したところで焼け石に水だ。結界も維持しなければならないし、この分では、ここまで順調に溜めて来ていた地下茎も枯渇してしまうのは火を見るより明らか。

何とかしなければならない。

そんなわけで俺は、まず道中で狩った魔物たちの魔石を、すべて吸収してしまうことにした。何かに使えるかと取って置いた魔石は、ワイバーンの物をはじめとして結構な数がある。これをすべて『エナジードレイン』で吸収し地下茎に蓄えれば、当面の魔力不足は解決するだろう。

だが、魔力は魔力であって、植物を成長させる養分とは異なるものである。成長を促進させるためのエネルギーにはなるが、成長に必要なものではない。

『ふぅ〜む、こりゃ、ちまちま残飯とかを肥料にしても埒《らち》が明かんな』

そんなわけで俺は、グラムたちゴー君部隊を始め、エルフの狩人たちやヴォルフたち狼人族の戦士を集めて事情を説明し、お願いしたのである。

『諸君、そんなわけで周辺で狩りをして魔物を狩って来てくれ。今回は死体ごと全部吸収するから、解体しないで丸ごと持ってきてね？』

　彼らに魔物を狩ってもらい、それを丸ごと全部吸収する。霊峰周辺の魔物は比較的大型のものが多いから、養分としては十分なはずだ。

　元エルフの里の広場前に集まったグラムたちは、俺の本体を前にして快く請け負ってくれた。

『承知いたしました、主上。我らにお任せあれ』

「食糧難の危機を乗り越えるために、俺らも頑張るっすよ！」

「狼人族の狩りの腕前、森神様と精霊様にご覧に入れよう」

　グラムに続き、ウォルナットもヴォルフも同意してくれる。

　そんなわけでその日から、さっそく彼らは森へ狩りに出てくれることになった。

　とは言っても、いまや化け物染みた強さを発揮するグラムたちはともかく、エルフたちや狼人族たちでは霊峰周辺の魔物の相手をさせるのは少し心配でもある。ゆえに集団で纏まって狩りをするように進言したのだが、はてさて。

『良いか？　狩りなんて命をかけるもんでもないんだから、少しでも危ないと思ったら無理せず帰って来るんだぞ？』

「大丈夫大丈夫ですって！　精霊様は心配し過ぎっすよ」

う〜む、ウォルの大丈夫はまったく信用できないのが不思議だ。むしろ不穏なフラグを立てているようにも思えるのはなぜなんだ？

『……ローレル、頼むぞ？』

「お任せください、精霊様。いざとなったら無理矢理にでも連れて帰りますから」

ローレルに任せれば多少は安心だ。しかし、森の中に入ればワイバーンに襲われる危険性はぐっと減るとはいえ、不安なものは不安である。何しろここは魔境の中の魔境と呼ばれる霊峰フリズスの麓なのだ。どんな化け物が潜んでいるか、分かったものではない……という俺の不安は、しかし杞憂だったと知ることになる。

彼らは森に入ってしばらくすると、倒した大型の魔物を次々と運んで来たのだ。

『お、おお!?　大丈夫だったのか!?』

「余裕っすよ余裕！　俺らにかかればこの辺の魔物も敵じゃないっすね！」

大型の虫の魔物を俺の本体の根本に置いた彼らに問うと、ウォルナットがそんなふうに答える。

『どうなんだ、ローレル？』

俺はローレルを名指しして問い直した。

「ちょっ、精霊様!?」

ウォルナットが何か喚くが、いまいち信頼できないのは俺が悪いわけじゃないと思う。

「ウォルの言う通り余裕というわけではありませんが……10人ほどの集団で相手をすれば、ほぼ一方的に狩れるくらいの強さのようです。もちろん、山に登って行くとなると話は変わりますが」

『おお、そうなのか。もちろん、無理して山に登る必要はないからな？』

「ええ、承知いたしました」

どうやらこの辺の魔物でも、多数で相手取ればほぼ無傷で勝利できるようである。

考えてみればエルフたちにもミストルティンを配備したし、戦力は出会った頃に比べてずっと上がっているはずだ。そもそもエルフたちは森での狩りを１００年以上も続けてきた超々熟練の狩人でもあるし、俺が心配する必要もなかったのかもしれない。

それはどうやらヴォルフたち狼人族も同様のようで、大した怪我もなく魔物たちの狩りに成功していく。

俺は次々に運び込まれる魔物たちの体を、体内の魔石ごと吸収し、各種エネルギーと養分を地下茎へ蓄えていく。

形振《なりふ》り構わず皆に協力してもらい、こうしてエネルギーを蓄えるのは初めての経験だったが、ちまちま土壌の養分を吸収したり、光合成したり、僅かな残飯を肥料とするのとはまるで効率が段違いだった。どんどんと畑に養分を奪われて地下茎が枯渇する心配をしていたが、むしろほんの数日で収支は消費を上回り、地下茎にエネルギーを蓄えることすら出来るようになった。

いざとなれば、さらにブリュンヒルドたちや狂戦士ゴーレムたちも狩りに投入できるし、とりあえず周辺の魔物が枯渇でもしない限り問題はなさそうだ。

……どうやら、ここでも何とかやっていけそうである、と俺は一安心した。

第五十三話　ルーンの解析

エルフたちの住居を洞窟の中に移し終わり、食料生産のための広大な畑も出来上がった。

畑と結界を維持するために魔物などを定期的に狩る必要はあるが、それは里の皆に協力してもらえば問題ないと判明した。

霊峰フリズスの周囲は数多の魔物たちが跳梁跋扈していて、獲物を見つけるのに困る事はない。

ドワーフたちに渡す分の酒もすでに生産開始していて、幾つかは熟成中だし、俺たちの生活もだいぶ軌道に乗ってきたというか、落ち着いたものになってきた。

当初は懸念していたエルフとドワーフたちの仲の悪さだが、酒に釣られてドワーフ側が態度を軟化させたことで、現在は目立った問題もなく穏やかに共存する事に成功している。ウチの長老たちも相手が喧嘩腰でなければ、無用な軋轢《あつれき》を生じさせることもないようだ。

出会った当初は痩せ細っていたドワーフたちの体も、今では皆、本来のムキムキさに戻っていた。

とは言っても、最初だってエルフたちに比べればだいぶ筋骨隆々な事に変わりはなかったのだが。

それでもこうして今の姿と見比べると、やはり食料の問題は結構深刻だったようで、明らかに痩せ細り憔悴していたのだと分かるほどだ。

そんな危機的状況も脱したことで、エルフだけではなくドワーフたちも穏やかに暮らし始めていたある日。

俺はセフィに抱えられながら、ドワーフの里の、ある場所を目指していた。

向かっているのは、里の中にある工房の一つだ。

何のために向かうのかと言えば、解析を頼んでいた「とある物」の報告を聞くためである。

それは、以前エルフの里を襲撃したモブ男が持っていた魔剣、及びマジックバッグの事だ。

より正確に言えば、それらに使われているルーン文字を用いた技術について、ドワーフたちに解析を依頼していたのだ。

一応、俺も前の俺が持っていたらしい「知識」によって、個々のルーン文字がどんな意味を持つのかは理解できる。

しかし、それらをどのように組み合わせるとどのような効果を発揮するのか、あるいはルーン文字をただ刻んだり書いたりしただけで効果が発揮されるのかなど、不明な点は多々ある。

正直、俺やエルフたちだけで何千、何万というルーン文字が刻まれた術式を解析するのは難しい。

そこで白羽の矢が立ったのが、ドワーフたちというわけである。

実のところ、ドワーフたちが教国によって迫害されるきっかけとなったのも、このルーン文字に纏《まつ》わる事情がある。

近年、教国によって復活したとされるルーン技術だが、実は教国が復活させるより遥かに以前から、一部の技術においてルーン技術を活用している者たちがいた。

話の流れで分かると思うが、それは言うまでもなくドワーフたちの事である。

ドワーフたちはラグナロク以前の遥か昔から、ルーン技術を用いて鍛冶を行っていたのだ。

森の木々を無秩序に伐採した事でエルフと対立した事が原因なのかは、ドワーフたちにとっても遠い昔過ぎて不明だが、ある時から彼らは鉱物魔法とルーン技術を活用して鍛冶をするようになったらしい。

ルーン技術は具体的には金属を溶かすための炉に使用され、魔石を燃料にしてルーン魔術を使う事で植物性の燃料を使わずに高温状態を生み出す事に成功しているらしい。

まあ、現在の教国のようにルーンを刻んだ道具こそ作り出してはいないものの、鍛冶に使用する炉の部分だけはルーン技術を継承し続けていたようなのだ。

ちなみにドワーフたちがルーンを刻んだ道具を作り出していないのは、ラグナロク以降、ルーンの乱用が禁忌とされたために、ほとんどの技術を失伝したためだ。

そういうわけで一部とはいえルーン技術を継承しているドワーフたちを、優れた鍛冶の腕前以上に、ルーン技術を復活させる目的で奴隷にしようとした経緯がある。

教国からしてみればドワーフの鍛冶技術の確保、ルーン技術の復活、どちらも重要な目的であったのだろう。

そういった理由があり、ドワーフたちへの奴隷狩りが活発になった。

当然、これに反発したドワーフたちは、教国によって同胞の数を減らされながらも世界中に散り散りとなり、その一部が現在、この里にて隠れ住んでいる、というわけだ。

幸いなのは教国がルーン技術を手に入れるより前、かつ新神が降臨する以前という事で、教国が今ほど強大ではなかった――ということだろう。

ドワーフたちは元々住んでいた場所を追われながらも、アルヴヘイムの民たちとは違い、多くが生き延びたのだとか。

この時、ドワーフたちが断固として教国に屈しなかったが故に、教国のルーン技術復活は大幅に遅れてしまったらしい。

とはいえ、今はこうして自力で復活させてしまったのだから、なかなかの執念というか何というか。

そういったわけで俺はドワーフたちに魔剣とマジックバッグの解析を依頼した。

もちろんドワーフたちにも初見のルーン文字などが大量にあったのだが、それらについては都度、俺がどういった意味を持つ文字なのか説明している。

そうして地味に協力しながら解析は進んでいき、ドワーフの里へやって来てから三週間を過ぎた今日、ようやく解析が完了したという報告があったのである。

正直、一月もかからず解析したのは凄いと思う。


「おじーちゃーん！　きたよー！」

ドバァンっ！　と勢い良く工房備え付けのドアを開けるなり、セフィが元気良く叫ぶ。

煩《うるさ》くて迷惑かと思うような声量だが、鍛冶仕事をしていたりすると結構な騒音で、大声で叫ばないと気づいてもらえなかったりするのだ。

　まあ、それとは関係なくセフィはいつも元気なのだが。

「おう！　聞こえとるよ！」

　工房の中に入ると、セフィの声に気づいてゴルド老がこちらへやって来た。

　奥の炉がある場所とは壁一つ隔てていて、俺たちが入った部屋では彫金やら研ぎやらと、細かい作業を主に行っている。今も何人かの職人たちが作業中だった。

　ちなみに、セフィの大声程度で驚き手元を狂わせるような繊細な神経の持ち主はいないらしく、俺としても一安心だ。

　ゴルド老はドアを開けて室内に入って来ると、意外にもにこやかにセフィに対応する。

「嬢ちゃんに酒精霊様、良く来たな」

　自慢じゃないが、俺とセフィはドワーフたちに受けが良い。

　ハイエルフの権威が通じないドワーフたちではあるが、セフィはセフィで屈託なくドワーフたちに接するし、そんな態度がドワーフたちには気に入られているようだ。

　特に老人連中などに対しては「おじーちゃん」やら「おばーちゃん」やらと呼んで天真爛漫に慕っているし、ゴルド老の様子を見ても分かる通りに、まるで孫バカの爺のような態度を見せる事がある。

セフィは強力な爺婆キラーだ。

対して俺だが。

まあ、ゴルド老の呼び方から大体の事情が分かるよね？

酒精霊——いまや俺は、ドワーフたちからそんな呼び名で親しまれている。

理由は言うまでもなく、俺が酒の原料となる果実や穀物を次々と生み出しているからだ。

果たして酒精霊と呼ばれる存在が実在するのかどうかは知らないが、とりあえず【称号】は増えていたよ。

【称号】『酒精霊』

冗談みたいな【称号】である。

そんなわけで孫的可愛さを遺憾なく発揮するセフィと、偉大なる酒の精霊様として、俺たちはドワーフたちに受け入れられているのだった。

『遂に解析できたんだって？』

「うむ！　だいぶ苦労したがの、仕組みはだいたい理解したぞ」

挨拶もそこそこに、俺は用件を口にする。

するとゴルド老は得意気に笑みを浮かべて見せて頷いた。

「ここじゃあゆっくり話もできんわ。上に場所を移すか」

それから工房の二階にある一室に、俺たちは移動する事になった。


ゴルド老の工房、その二階にある一室にて。

テーブルと椅子が置かれただけの殺風景な室内に案内された俺たちは、それぞれ適当な場所へ腰かけた。

セフィが椅子に座り、俺はその膝の上に乗せられ——るとテーブルの上が見えないから、テーブルの上にぽよんと乗った。

セフィの対面にゴルド老が腰かける。

テーブルの上にはルーン技術解析のため、彼に預けておいた一振りの魔剣とマジックバッグ二つが乗っていた。

『それで、ルーンを作動させなくする事はできそうか？』

今回、ゴルド老に解析を依頼したのは、何も俺たちもルーン技術を使って戦力を強化したい、などという理由だけではない。

教国がルーン技術を使う以上、それに対抗する、もしくはルーンが周囲の魔素を吸収して魔法の効果を高めるのを阻害する方法はないか確かめるためである。

もちろんその旨は、すでにゴルド老には説明してある。

「うむ、無理じゃな」

果たして、ゴルド老の回答は簡潔だった。

「教国が開発したルーン技術には、大別して二つの役割があるようじゃ」

ゴルド老は静かに説明を開始する。

「一つは属性や現象を表し、魔法効果を発現するための術式じゃな。これは使用者の魔力や、魔石から供給される魔力があれば、周囲から魔素を吸うことなく発動する。これだけ見れば、単なる魔道具に過ぎん。外から干渉して無効化するのは難しいのう」

それは予想していた事でもある。

だから驚きはないし、そこまでは求めていない。

ルーン技術で脅威なのは、周囲から魔素を吸い上げて本来の魔法よりも効果を高める事だ。

この効果を防げれば、教国の持つ多くの兵器は脅威ではなくなるはずで、それだけでも実現できないかと考えていた。

「もう一つは周囲の魔素を吸い上げて魔法効果を高める術式じゃ。これは酒精霊様が言うたように、周囲に魔素がなければ動作せんようじゃが、実際に魔素のない空間を作り上げるのは難しいのう。それも相手が動くとなれば不可能なのではないかの？」

『やっぱりそうなるか……』

こちらも予想通りではあるが、もしかしたらと期待もあっただけに残念だ。

『まあ、とはいえ、魔素のない空間なら発動しないと確かめられただけでも収穫か』

魔素の無い空間なんて、そうそう用意できるものではない。おまけに相手が動くとなれば、それを用意したところで無意味に終わってしまう可能性も高い。それでも僅かだが、無効化するための方法に光明は見えた。もしかすると、俺の能力を使えば可能かもしれない。

「一応、これらの機能はある程度理解できたから複製はできるが、エルフと同じで儂らドワーフにも魔素吸収術式は禁忌だと伝わっておるし、利用するのは反対じゃぞ」

と、ゴルド老が難しげな顔をして言う。

『ドワーフの炉では、魔素吸収術式は使ってないのか？』

「当たり前じゃろが。んなもん使ったら森を伐るより被害がデカイからの。必要な熱を確保するのにルーンは使っておるが、全部自前の魔力か魔石で補っておるわい」

やはりエルフやドワーフたちが禁忌にしているという事は、魔素を吸収して効果を上げる技術は危険なものらしい。

実際にどれほど危険なのかはいまいち実感が湧かないが、森を伐るより被害が大きいというのだから、俺たちが使うわけにもいかないか。

『まあ、魔素吸収術式とやらは俺らも使うつもりはない』

「そうか。ならええ」

『じゃあ、そこだけ切り取ってマジックバッグを再現する事は可能か？』

環境に被害を与える魔素吸収術式さえ使わなければ、ルーン技術は有用なものだと思うのだ。

教国に対抗するのに、これさえも使わないという手はない。

「おいおい、何言っとるんじゃ」

『え？　ダメ？』

呆れた様子で首を振るゴルド老に、それもダメなのかと驚く。

何か無視できない問題でもあるのか、それとも彼らドワーフをもってしても技術的に不可能なのか。

「ちょっと待っとれ」

ゴルド老は疑問に答える事なく席を立ち、部屋の外へ行ってしまった。

『どうしたんだろうな？』

「セフィはたぶん、おやつをとりにいったんだとおもう」

俺は不思議そうに首を傾げた。

そしてセフィの言葉は願望である。

「――待たせたの」

程なく、ゴルド老は戻って来た。

その手には、若草色をした謎の物体が握られている。

「嬢ちゃんにこれをやろう」

そう言って、手にしている物体をセフィに差し出す。

セフィは貰える物は何でも嬉しい子なので、もちろん喜んだ。

「いいの!?　やったー！」

「うむうむ。この紐を肩にかけるんじゃよ」

素直に喜ぶ幼女に、ゴルド老も好好爺《こうこうや》然《ぜん》とした顔で手渡した。

若草色の物体を受け取ったセフィは、椅子から降りて言われた通りに紐の部分を肩にかける。

すると、さすがにそれが何であるか、俺にも分かった。

『肩掛けポーチか』

肩に紐をかけて提《さ》げれば、小物入れにちょうど良さそうな小さめのポーチがセフィの腰の辺りにぶら下がった。

『お！　セフィ、似合ってるじゃないか！』

「ふふーん！」

くるり、とその場で一回転して見せたセフィは、胸を張ってドヤ顔を浮かべた。

ポーチの部分は、何やら見慣れた存在を模した形をしていて、ご丁寧に顔の部分には目と口もある。

目の部分などは、良く磨かれた魔石を取り付けているようだ。

『――てかそれ、俺か？』

それは俺の精霊体の形を模した、若草色の肩掛けポーチだった。

『これは、ゴルド老が作ったのか？』

「そうじゃ、なかなか良い出来じゃろ？」

その言葉通り、それは細部までしっかりと作り込まれた品だった。

初回版限定
封入
購入者特典

特別書き下ろし。

セフィ、モモを育てる

※『雑草転生 2　～エルフの里を守り抜きます～』をお読みになったあとにご覧ください。

EARTH STAR NOVEL

「ユグ！　セフィ、さいきょーのモモをそだてたいっ！」

　俺たちがドワーフたちと共に暮らし始めるようになったある日、セフィは唐突にそんなことを叫んだ。

　場所はドワーフたちと暮らす洞窟――から出た先、霊峰フリズスの麓に広がる畑の一画だ。俺の本体たる精霊樹を中心に様々な作物を育てている畑だが、その一画には果物を栽培するための果樹園が広がっていて、もちろんセフィ御用達のモモの木もある。それを前にして、幼女は魂の叫びを発したのである。

『モモは最強にはなりません』

　俺はセフィに常識を教えてあげた。

　なんだ、最強のモモって。

「だいじょぶ！　セフィにまかせて！」

　しかし、セフィは俺の言葉なんぞ聞いちゃいない。

何も大丈夫じゃない。

『まあ、言わんとしていることは分かる。最高に美味しいモモを作りたい……ってことだな？』

「そう、それ！」

　どうやら当たっていたようだ。セフィの幼女語を翻訳するのも慣れたもんだぜ。

『おいおいセフィ、俺を舐めてもらっちゃ困るぜ？』

　俺はふよふよと浮かぶ精霊体の顔をキリッと引き締めた。

『俺の作る果物は、いつだって最高に美味しいだろ？』

「いまそういうのはきいてない」

『お、おう……』

　別に冗談ではなかったのだが、いつになく真剣なセフィに切り捨てられて、俺はちょっと傷ついた。

『なんだよ、じゃあどうするんだよ？　これ以上美味しくするって、もっと養分送ってみるか？』

　ここに生えている果樹は、すべて『変異』させた俺の一部である。ゆえに、例えば実っている果実一つに養分を過剰に溜め込んでみる――などといったことも可能だ。特に【魔力】や【生命力】を溜め込んだ果実は、味も良くなることがこれまでの経験から判明している。

「それも、もちろんやってもらう」

　セフィは重々しく頷いた。その瞳は鋭い光を宿し、自らの作物の出来に微塵の妥協も許さない熟練農家のような表情だ。

『もちろんなんだ』

「でも、セフィ、きづいた」

　セフィは俺の突っ込みを華麗に無視しつつ、目の前のモモの木を真剣な顔で見上げる。

『何に?』

「ユグがさいこーのモモをつくったあと、セフィがおうえんすれば、さいきょーのモモができるかも……って」

『ほう、なるほどな』

　ハイエルフであるセフィの「おうえん」はあらゆる植物を活性化する。

　俺が作った最高のモモに、セフィの「おうえん」を上乗せしてやれば、それはある意味最強のモモになるのではないか。キング・オブ・モモである。

『わかった、そこまで言うなら、作ってみるか。最強のモモを』

「ながくけわしいたたかいになる……でも、セフィはあきらめないよ」

　そんなわけでこの日から、セフィは最強のモモを求めるモモ農家になり、試行錯誤の日々が始まった。

「まずは、セフィがこのきを、まいにちおうえんする」

　セフィが俺の本体や里の大樹たちに「おうえん」を施すのは、毎日の「おしごと」だ。それに加えて、さらにこのモモの木にも個別に「おうえん」するという意味である。

『毎日か……本気だな』

　凄まじいやる気を感じる。

「それだけじゃないよ。さらにひりょうをかいぞうして、いいつちにする」

『肥料に土壌改善か』

「あとはみずもこだわりたい。いいモモは、いいみずからうまれる……」

『水までもか』

「そして、そだてるモモもげんせんする。もったいないけど、いまの、はんぶんにする」

『本気かセフィ!?　おやつのモモが半分になるって意味だぞ!?』

「……だんちょーのおもいだけど、さいきょーのモモのために……がまんするっ!」

　俺は驚愕した。

　モモに関してセフィの口から「我慢」などという言葉が飛び出すとは……嵐の前触れでなければ良いが……。

　ともかく、そうして肥料や水に拘り、育てるモモを剪定した。俺のスキルで作るからモモを実らせるだけならすぐに出来るが、今回は俺にしてみればゆっくりと時間をかけてモモを実らせた。

その間、肥料をより良い物にするためにウォルナットに協力してもらったり、

「ウォル！　セフィ、それほしい！」

「え!?　姫様!?　いやそれ俺が精霊様に果物と交換してもらうための魔石なんすけど!?　姫様待って!?」

良い水でモモを育てるために、長老に魔力を含む水を魔法で生み出してもらったり、

「ちょーろー！　こっちきて！　こっちこっち！」

「ほ？　姫様、何ですかな？」

などなど、色々と頑張った。

そうして一週間後――、

『……どうだ、セフィ？』

はち切れんばかりに肉厚に実ったモモを、メープルに剝いてもらってセフィが食す。

瞼を半分閉じてゆっくりと咀嚼する様は、まるで自らの料理を味見する一流の料理人が如く。漂う緊迫感に空気が張りつめる。

「おいしい……けど、これじゃない……。もっとうえがあるはず！」

叫んだセフィの表情は、モモの出来に納得していないようであった。

この後、メープルや長老たちにも味見してもらったが、全エルフが絶讃するほどの味に仕上がっていたのに――である。

僅かな妥協も許さぬその姿勢は、まさに匠。

ここからモモマイスター・セフィの長く険しい道のりが始まることを、この時の俺たちはまだ知る由もなかった……。

『いやー、しかしダメだったかぁー。んで、どうするこのモモ？　出来に納得できないなら肥料にでもするか？』

「それをひりょーにするなんてとんでもない！　セフィがぜんぶたべるし！」

出来に納得できなくとも食べないというわけではないらしい。

残ったモモはこのあと幼女が全部食べました。

とても強面《こわもて》の爺が作ったとは思えない可愛らしい作品である。

「嬢ちゃん、いつもその木剣を持ち歩いておるじゃろ？」

「ん？　セフィのみすとるてぃんのこと？」

ゴルド老が、セフィが頻繁に持ち歩き、今日も持ってきて椅子に立て掛けられている木剣――ミストルティンを指す。

「それをポーチの中に入れれば、持ち運びもしやすいじゃろ」

その言葉に、まさか、と思い至る。

「みすとるてぃん、はいるかな？」

首を傾げるセフィの反応も当然だ。

ポーチは小さく、とてもミストルティンが入るような大きさではないのだから。

「目の部分がボタンになっておるから、開けてみぃ」

「うん！」

セフィが黒い眼のボタンをパチリと外す。どうやら、嵌《は》め込み式のボタンのようだ。

するとつば広帽の部分がパカリと開いた。

その中へそっとミストルティンを収納してみると、まるで手品のようにスルスルと呑み込まれていく。

「すごい！　ぜんぶはいった！」

セフィばかりでなく、これには俺も目を丸くして驚いた。

見た目は可愛らしいポーチに過ぎないが、これはマジックバッグ――もとい、マジックポーチだ。

『再現できたのか、凄いな』

掛け値なしの称賛である。

気を良くしたのか、笑みを浮かべて頷いたゴルド老は、マジックポーチについて説明し始めた。

「周囲の魔素は使わず、目の部分の魔石の魔力で効果を発揮するようにしておる。魔力がある内は魔石は黒色をしておるが、少なくなってくると透明に近づいていくからの。そうなったら自前の魔力を魔石に補充してやるか、魔石を交換する必要がある。まあ、嬢ちゃんなら自前の魔力で維持するのは余裕じゃろうが、もしも魔石を交換する時は儂のところに持って来るんじゃぞ？」

「うん、わかった！」

セフィは嬉しげに頷いた。

その説明を聞いて、俺は素朴な疑問を口にする。

『魔力が完全になくなったら、中の物はどうなるんだ？　あと、どれくらい入るの？』

「魔力がなくなったら魔法効果も切れて、中に入っていた物は全部飛び出して来るのう。そうなるとポーチが破れてしまうかもしれんから、魔力の補充は早めにの？　それから中に入る量としては、刻めるルーン文字もポーチじゃと少なくなっちまうのでな、その関係でだいぶ減って、大きめの天蓋付きベッド一つ分の体積ってところじゃ」

『へぇ。それでも結構な量だな』

と俺は頷き、魔力の補充を早めにと言われたセフィも頷いた。

「かしこまり！」

敬礼するセフィを眺めながら、ふと、更なる疑問が浮かぶ。

『なあ、このポーチ、どこにルーンを刻んでるんだ？』

見た目にはどこにもルーン文字が刻まれているようには見えない。

マジックバッグの表面には、所狭しとルーン文字が刻まれているというのにだ。

「中身は革製での、ポーチの表面に刻んでおるよ。外から見えんのは、その上から布を貼り付けておるからじゃな。一文字二文字欠けたくらいじゃ駄目にはならんが、大きく傷ついたら術式が停止してしまうんじゃ。上から布を貼れば、それもある程度防げるからのう」

意外と理に適《かな》った理由があるようだ。

というか、さらりと教国産のマジックバッグよりもある意味洗練された品を作るとは、ドワーフの技術力の高さには脱帽するしかない。

聞いてみると、どうやら「空」「拡」「入」「固」「重」「絶」など複数のルーン文字を刻んでマジックバッグとしての効果を発揮させるように配置しつつ、同様のパターンを緻密に数千パターン以上も刻印しているらしい。

配置パターンの法則など、詳しいことは俺には分からんが……、

「間違えんように刻むのには骨が折れたわい」

と、ゴルド老が言うくらいなのだから、やはり作るのはかなり難しいのだろう。

俺は感心しつつ頷き、さらにさらに質問を重ねていく。

『バッグの大きさのやつも再現できるのか？』

「もちろんじゃ。しかしまあ、魔素を吸収せんから消費する魔力は多くなっちまうが、それは儂らではどうにもならんぞ？」

『それは分かってる。それに魔力ならまあ、外に出て魔物でも狩れば十分足りるだろ』

「確かに、ここいらの魔物を狩れるのであれば、十分実用可能な物を作れるじゃろうな」

　色々と有用な道具だし、それはありがたい話である。

『んじゃあ、魔剣の方はどうだ？　複製できそう？』

　扱うのが炎というのが植物な俺的に気にくわないが、戦力増強のためならばそうも言ってはいられない。

「魔剣か。こいつは無理じゃな」

　しかし、ゴルド老は途端に難しげな顔になって否定した。

「こいつは魔素吸収が前提に組まれた術式じゃ。周囲から魔素を吸い取る力も、マジックバッグとは比べ物にならんほど強い。自前の魔力だけで運用しようとしたら、普通の奴ならすぐに魔力が枯渇しちまうわい。おまけに魔素吸収術式がある状態でも、消費する魔力は馬鹿にならん量じゃ。汎用性のある魔剣というより、扱う人物を限定して作られている感じじゃな」

『そっか、なら仕方ないか』

　まあ、無理に使おうとは思わないからな。

　何しろモブ男が使った紫色の炎は消えにくく延焼しやすい性質があるようだった。

要は火事になりやすそうな炎だし、俺が植物だからなのか、それとも炎自体にまだ俺の知らない何かがあるのかは分からないが、生理的嫌悪すら感じてしまうのだ。

使えないなら使えないで良いだろう。

「まあ、酒精霊様に色々ルーンの意味も教えてもらえたしの。これからは新しい術式も組めると思うぞ？」

『マジで？　流石だな』

ゴルド老、というかドワーフたちが技術者としても優秀過ぎる件。

まあ、適度に要望を出しつつ、技術開発は彼らに任せるのが吉だろう。

これからに期待だ。

【SIDE：イコー教国】炎神出撃

葬炎騎士団長ディラン・ウォルターの命で聖都シンカを旅立った二人の葬炎騎士は、赤い鱗を持つワイバーン――レッド・ワイバーンを騎竜として、大空を飛翔していた。

同騎士団の仲間であったカイ・ビッカースがかつて一月で辿った道程を僅か数日に短縮し、目的地に辿り着いた彼らが発見したのはエルフどもの隠れ里……ではなく、巨大な擂り鉢状の穴だった。

エルフたちの姿は何処にもない。

だが、場所を間違ったとは思わなかった。眼下に広がる巨大な穴の異様さは一目瞭然で、カイ・ビッカースがこの近辺で「殺された」という情報を加味すれば、何かがあったのは疑いようがない。

しかしながら、当のエルフどもの里がないことも事実だ。

「……結界か？」

片方の騎士が呟く。

偽りの景色を見せる幻惑結界、あるいは人の意識を逸らす隠蔽結界。元より魔法が得意なエルフどもの隠れ里というのなら、それらの結界によって場所を秘匿されている可能性もあった。

「結界ごときで、我らを欺《あざむ》けると思うなよ」

だが、ここにいるのは有象無象の雑兵ではない。神聖イコー教国北部大司教区が誇る葬炎騎士だ。彼らは一人一人が炎神ファイア・メイカーの眷属であり、元々は騎士に選ばれるほどの精鋭でもある。

闘気術のみならず、人族の身でありながら魔法にも造詣が深く、また魔力の扱いについても巧みだ。

「……」

騎竜を空中でホバリングさせながら、騎士たちは互いに視線だけで意思を伝え合うと、同時に目を閉じて魔力に対する感覚を研ぎ澄ます。

当然のように会得している『魔力感知』スキルによって、里を隠蔽していると思われる結界の魔力を感知しようと試みたのだ。結界の魔力さえも隠蔽されている可能性はあるが、一つの里を覆うほどの結界だ。大気中の魔素の偏りなどにも注意を払えば、隠蔽を見破ることは可能だった。

だが、彼らの予想に反して、『魔力感知』できる範囲に結界らしき周辺魔素の乱れはなかった。

「……見つけたぞ」

しかし、何も手掛かりが得られなかったというわけではない。

巨大な穴の縁から北西へ向かって、膨大な魔力で線でも引いたように、魔力の残滓とも言うべきものが伸びていたのだ。

上空から見下ろす森の様子に不自然なところはないが、魔力を知覚できる者にとって、それは一目瞭然とも言うべきはっきりとした大魔法の痕跡だった。

それでもあと数日、ここへ来るのが遅かったなら、この魔力の痕跡も綺麗さっぱり消えてしまっていたことだろう。

「……」

ピッと北西の方向を指し示すと、もう一人の騎士も頷いた。

この先にエルフたちがいるという確証はないが、他に探すべきところも見当たらない。とりあえずはこの痕跡を辿ってみるという選択に、相方も同意したようだ。

二人の騎士は騎竜を北西の方角へと向けた。

それから数日——ということもなく、彼らはその日の内に樹海を移動するエルフたちの里を見つけることになった。

緑色の絨毯が広がる遥か視線の先で、小山のように巨大な八本脚の「何か」と、その周囲に集る無数のワイバーンを発見して、騎士たちは高度を木々の樹冠近くまで下げて、慎重に様子を窺った。

魔力の残滓は間違いなく、あの巨大な「何か」に向かって続いている。

闘気によって視力を強化して見れば、「何か」の上に巨大な木々が幾本も生えており、さらにその木々の枝の上に建物が残っているのが確認できた。

『間違いない、エルフどもの里だ』

騎竜の羽ばたきの音が掻き消してしまわぬよう、互いに念話で会話する。

『だが、あれは何だ？　あの、巨大な蜘蛛みたいなやつは？』

『分からん。……ハイエルフの使役する化け物かもしれんが』

正体不明の化け物の上に里を丸ごと載せて樹海を移動しているらしいのは、観察していれば理解できた。

『……イカれてやがる。化け物どもめ……』

だが、こうして見ていてさえ信じがたい所業なのは確かだ。人族としてエルフという種族に脅威を覚えてしまうほどには、それは衝撃的な光景だった。

『……気づかれたと思うか?』

『いや、奴らはワイバーンどもに襲われて、そちらに意識が集中しているはずだ。それにこの距離だ、気づかれてはいないだろう』

エルフの里らしき「何か」を発見してすぐに高度を下げたが、騎士たちと「何か」の距離はだいぶ離れている。こちらは小さく、あちらは大きい。あちらがこちらを肉眼で発見するのは難しいし、魔力でこちらを知覚するのも難しいはずだ。『魔力感知』の範囲が上空から視認できる範囲よりも広いとは思えない。おまけに向こうは大規模な戦闘の真っ最中だし、遠く離れたこちらに気づく余裕はないだろう。

とはいえ……、

『……魔力の残滓を追って行けば、奴らを見失うことはない。ここからはさらに距離を取って、魔法の使用も控えて行くぞ』

『了解』

彼らは慎重だった。

視認可能な距離の外から、巨大な「何か」が移動した後に残る魔力の残滓を辿ることにする。

それからおおよそ二週間後、二人の騎士は霊峰フリズスの麓に辿り着き、エルフたちの居留地を把握した。

おそらくは幻惑結界によって外部から目視することはできなかったが、魔力の残滓が不自然に途切れる場所であり、何より精鋭たる葬炎騎士の感知能力をもってすれば、「結界で隠されている」という事実を把握するのは難しくなかった。

霊峰から続く川のそばの開けた場所に騎竜を着陸させ、森の中に潜みながら慎重に観察する。ここからエルフたちがさらに移動する様子はなく、結界を出て周辺の森へ狩りに出掛けるエルフや狼人族たちの姿も確認できた。もはや奴らがあそこにいるのは疑いようもない。

しかし、発見したのはそれだけでもなく……、

「ドワーフだと？」

何をしているのか、時折結界の範囲が少しずつ広がるのだが、その時に結界の外に出て来るドワーフたちの姿があったのだ。

なぜか急速に枯れたかのように周辺の森の木々が倒れ、それらを退かした後にドワーフたちが土魔法で地中の石や岩を排除していく。まるで森を開拓し、畑を作るような作業を騎士たちは目撃していた。

「エルフとドワーフが一緒にいるというのか？」

それは信じがたい光景であり、脅威的な事実でもある。

この任務でエルフたちを襲撃する許可は得ていないが、どちらにせよ、二人では返り討ちに遭うほどの戦力が向こうにあるのは間違いない。

偵察は十分に距離を取った上で、樹上に登って目視に頼っている。それに森の中に潜んでいる限り、こちらの魔力を知覚されたとしても、魔物との違いが判るはずもない。正体が看破される可能性は限りなく低いはずだ。

それでも慎重に慎重を期し、彼らは常に二手に分かれて行動することにした。どちらかが無事であれば、エルフどもの居場所に関する情報を伝えることができる。

「おそらく、団長たちはあの大穴の場所まで辿り着くはずだ。片方はここに残って奴らの監視、もう片方は大穴まで戻って団長たちが来ていないか確認する。それを交互に行おう。もしも大穴から戻って来た時に監視がバレて一方が排除されていたら、聖都に帰還して直接報告だ」

「了解」

彼らはそう決めると、大穴までの移動役、ここに残っての監視役を交互に行うことにした。


かつて葬炎騎士団であるカイ・ビッカースが任務のためにヴァラス大樹海へ旅立ち、炎神が自らの眷属たるカイの死を知覚したのが、それからおおよそ一ヶ月後だ。

つまり、カイを殺すほどの何者か――おそらくはハイエルフ――がいた場所まで、普通に行けば一ヶ月もかかる計算になってしまう。往復すれば二ヶ月だ。

確かに長い期間の遠征が必要だが、単に葬炎騎士団が動くならば許容範囲でしかない。そもそも、葬炎騎士団とは異教徒や異教の神を滅ぼすために存在する騎士団だからだ。ゆえに彼らだけが動くならば、カイの死を認識した三日後には、態勢を整えて素早く樹海へ侵攻することが出来たであろう。

しかし、そうはいかない理由があった。

「生まれたてとはいえ、相手は腐っても神だ。俺が直接出る」

偉大なる炎神の言葉である。

これを翻すことは、教国でも炎神自らか、より上位の神であるイコー神にしか出来ない。つまり事実上、ディランたちは炎神の言葉に粛々と従う他なかった。

――とはいえ。

一国の領土にも匹敵する北部大司教区に封じられた炎神に、気軽にあちらこちらへ行かれては周りが困る。政治には介入しない神であるとはいえ、その不在の影響は決して小さくはないし、関係各所に炎神の行動を通達する必要も準備をする必要もあった。炎神に万が一のことがあれば、それはすなわち教国という国家の一大事なのだから。

加えて、まさか畏れ多くも神の一柱に樹海の中を数ヵ月も歩かせるわけにもいかない。供回りに同行する葬炎騎士たちも一緒に移動できる、特別な移動手段が必要だった。

教国という巨獣が動くためには、その巨大さゆえに煩雑《はんざつ》かつ膨大な事前準備が必要で、それは遅々として進まないように思えた。

関係各所への通達やら、武器やら食料やら移動手段の確保やらと、入念な準備をようやく終えたのは、カイの死から二月近くが過ぎた頃だった。


「あ〜あ〜あ〜、ずいぶんと時間がかかったな。ようやくかよ」

北部大司教区、聖都シンカ。

その中心にある大神殿の中庭にて、とても旅装とは思えないゆったりとした衣装を身に纏った炎神と、鎧を着込んだ12人の葬炎騎士たちが集まっていた。

無論、葬炎騎士が12人しかいないというわけではない。騎士団には40人近くの団員が在籍しているが、今回、炎神に同行して旅立つのが12人というだけのことだ。

これは何もエルフたちを侮っての人選ではない。同行するのは騎士団でも選りすぐりの強者たちであり、本来ならこれだけでもエルフ相手には過剰戦力だ。敵側にハイエルフがいるとしても、先代ハイエルフのように数千年を生きた化け物ではない。せいぜいが生まれて数年の自然神ともなれば、エルフと纏めて相手をしたとしても、炎神一柱で何もかもを灰塵《かいじん》に帰せる——というのは、何ら疑いようもない客観的事実だ。

「申し訳ありません、我が神よ」

うんざりしたように言葉を漏らした炎神の傍らで、ディラン・ウォルターは深く頭を垂れて謝罪する。

「あん？　別にお前に言ってるわけじゃねぇぜ。大司教の爺だよウゼェのはよ。あいつがぐだぐだぐだぐだとうるせぇから、動くのがこんなに遅れちまったんだろが」

どうやら炎神が苛立っているのは、北部大司教区を管轄する北部大司教に対してらしい。

それについては口にこそしないが、ディランも同様の気持ちである。炎神に何かあって一番困るのは、誰あろう北部大司教だ。万が一炎神を喪《うしな》ってしまったら、大司教は失脚。少なくとも教国内部での権力争いという面では、絶望的になるのは間違いない。

下らない権力争い――というよりは、自らの保身のためにあれこれと口を出し、結果として出発をここまで遅らせたのは、やはり大司教の責任であろう。ディランからすれば、神の決定に口を出すなど不敬の極みとしか思えないが、人間の醜さを煮詰めたような大司教どもならば、己のために神の言葉にさえ異を唱えるというのは、十分あり得そうなことだった。

「チッ！　……まあいい。とにかく、さっさと出発すんぞ」

大きく舌打ちすると、炎神はそう口にする。

それに騎士各員が「「「ハッ！」」」と応じながら、中庭に置かれた「移動手段」に騎乗した。

それは赤い竜鱗を持つワイバーンだった。

レッドワイバーンと呼ばれる魔物で、北部大司教区で飼い慣らされた騎竜である。

食料などの物資は全てマジックバッグに収納してあるから、この騎竜に乗れば大荷物を背負ってゆっくりと行軍する必要もない。もちろん騎竜は貴重で数に限りがあるが、少数の部隊を素早く派遣するには非常に優秀な「移動手段」だった。

……まあ、今回はそもそも大司教の愚行で出発が大幅に遅れてしまったが、これであれば遅れも多少は取り戻せるだろう。

ともかく、大神殿の中庭から炎神と12名の葬炎騎士が、それぞれ13頭の騎竜に跨《また》がり、大空へと飛び出した。


空の旅路は雨や嵐に見舞われることなく、清々しい晴天に祝福され、ほどほどに快適だった。

天空を司るわけではないが、紛うことなき神がここにいるのだ。炎神は人智を超えた何らかの手段で、空を快晴に保つことも可能なのかもしれない――と、ディランは密かに考えた。

その真実を問うことはせずに、粛々と炎神を先導してヴァラス大樹海の上空を飛翔すること三日目の昼、地上を行けば一月はかかる旅路を、ディランたちは難なく終えていた。

おそらくはカイが殺されたと思われる目的地周辺に、彼らは辿り着いた。

だが、周囲を上空から丹念に探索しても、エルフらしき姿は一人も見つけられない。しかしながら、何の手がかりもないわけではなかった。

いや、むしろ手がかりなら、ここまで来た瞬間に視界の中に飛び込んで、これでもかと存在を主張している。

「ふぅ〜ん？　何かがあったのは、間違いなさそうだな？」

騎竜の上から炎神が眼下を見下ろす。

濃い緑色の絨毯がどこまでも続く森の景色に、ただ一ヶ所だけ、不自然な空白が生まれていたのである。

まるで山のような巨獣が大地を食《は》んだかのような、抉れた擂り鉢状の巨大な穴である。その穴の底には地下水が滲み出したのか、小さな池が出来上がっていた。土の地肌が剝き出しになった表面には所々に雑草が生えつつあり、昨日今日に出来た物ではないと理解できた。

「カイとの戦闘の痕跡でしょうか!?」

同じく眼下の穴を見下ろす騎士の一人が、上空の風に負けぬよう大声で叫んだ。

「さてねぇ……」

炎神は独り言のように呟き、考える。

穴の表面に火で炙られたような痕跡は見当たらず、炎の眷属たる葬炎騎士が戦ったようには思えない。いや、そもそも、如何に葬炎騎士だとはいえ、これほどの巨大な穴を作り出すことなど出来はしないだろう。

そして見るからに、森の中に唐突に生じたこの穴が、自然に出来たものだとは考え難い。星が降り注いだようにも、何かの爆発があったようにも思えないし、鉱石などを求めて地道に掘ったとするにしても、穴の縁が盛り上がっているわけでもなし、周囲に抉れた分の土が見当たらないのも奇妙だ。

つまり、これほどの穴を生み出せる何者かがいた、ということになる。

「面白くなって来たじゃねぇか……！」

炎神は牙を剝き出しにするような凄絶な笑みを浮かべる。

アルヴヘイムを滅ぼして以来、自らが出なければならないような強敵も現れず、西のヴァナヘイムとは西部大司教区が戦っている。要するに、炎神は退屈していたのだ。

薬でも女でも満たせない暴力的な欲求を発散できるかもしれず、炎神は確かに興奮を覚えていた。

「下に降りるぞッ！！」

周囲の騎士どもにそう命じると、炎神は巨大な穴の中に騎竜を降下させた。


炎神は巨大な穴を中心にして周囲を探索させるつもりだった。

エルフどもの姿は影も形も見えないし、どこへ移動したのかその痕跡もない。闇雲に探すのは普通ならば困難だが、騎竜があれば如何に樹海だとて捜索範囲はぐっと広がる。

何より、せっかく見つけたかもしれない楽しい遊び相手を見逃すつもりは、炎神にはさらさらなかった。

どれほどの時間を浪費しようとも、だ。

しかし、そんな炎神の決意に反して、巨大な穴を発見した僅か二日後、ハイエルフが率いると思われるエルフの集団の居場所が割れることになる。

巨大な穴の外縁部に設営して拠点を築いた彼らのもとに、上空から一騎の騎竜が舞い降りて来たのである。探索に出していた騎士が戻ってきたのかと考えた炎神だったが、すぐに自身が率いて来た12人の騎士とは別人であることに気づいた。

「お？　なんだ？　まさか帰って来いなんていう下らねぇ伝令じゃねぇだろうな？」

まだシンカを旅立って一週間も経っていないが、あの大司教ならば痺れを切らしてそんな伝令を派遣することもあり得る。

急速に機嫌が悪化する炎神の推測を否定したのは、同じく舞い降りて来る騎竜を見上げていたディランだ。

「いえ、あれは事前に斥候に出していた部下の一人のようです」

炎神からハイエルフを討つと聞いてから、すぐさま派遣していた斥候の一人が、どうやらこちらに戻って来たようだ。あるいは、ディランたちもここに来ると判断して何度か往復していたのかもしれない。

その騎士は巨大な穴に騎竜を着地させると、すぐさまこちらにやって来た。

この場に本当に炎神がいることに驚きを浮かべながらも、狼狽《うろた》えることなく斥候の成果を告げる。

「報告します！　エルフどもの集落を発見しました！」

続いて、エルフたちと一緒に狼人族が行動していること。エルフたちは、おそらくハイエルフの魔法と思《おぼ》しき超常の手段でもって「集落ごと」大地を持ち上げ、霊峰フリズスまで移動したこと。移動先で、隠れ潜んでいたと思われるドワーフたちと合流したことまで報告する。

　エルフどもに加えて狼人族どもが共に行動していることは予想の範疇だったが、まさかドワーフまでも見つかるとは、ディランも想定以上の成果に少々の驚きを覚えた。

「さすがはディランだ。お前さんは優秀だねぇ」

「……恐縮です」

　炎神は上機嫌でディランを褒めると、さっそくとばかりに騎士たちに号令を発する。

「ぃよぉ～しッ！　んじゃあ、さっさと出発すんぞ！」

　騎士たちは設営したテントなどを急いで片付けると、速やかに騎竜に乗って飛び出した。探索に出していた騎士たちと空中で合流すると、案内の騎士に続くまま北西の霊峰フリズスへ向かって飛翔する。

第五十四話　絶望の襲来

ドワーフたちと共に暮らし始めてから、おおよそ一月。

洞窟の外での食料生産も軌道に乗り、エルフ、ドワーフ、狼人族の三つの種族は、何だかんだで順調な共同生活を営んでいた。

その日も晴れ渡った空の下、ポカポカとした陽気に照らされながら多くのエルフたちが畑仕事に精を出し、グラムやウォルナット、ヴォルフたちは森へ狩りに出掛けている。

ちなみに俺のスキルで作物を生産するとはいえど、その収穫などにはやはり人手が必要だ。そんなわけでエルフたちや戦士ではない狼人族たちが収穫作業を行っている。

ドワーフたちはだいたいが洞窟の中にいて、武器やら何やら色々と製作している。ゴルド老たちに畑仕事を手伝ってもらうより、それぞれが得意な分野で仕事をしてもらった方が良い。適材適所ってやつだな。

俺はセフィと一緒に日課である「おしごと」に出掛けるところだった。

いまやエルフたちの住居はドワーフたちの住む洞窟の中に移動してしまったが、俺の本体と融合した里の大木たちや畑は外にあり、洞窟を含めて各種の結界で護るのは俺の役目だ。酒造りも畑の中心部——つまり俺の本体の傍に酒蔵を構えて行っているし、ここはまだまだ重要な拠点だから、セフィの「おうえん」にも気合いが入ろうというものである。

ゆえに、今日も今日とて俺の本体をスタート地点に、順繰りに木々を回ろうかというところで、

『……ん？　どうした、セフィ？』

セフィが呆然とした顔で、どこかを見つめていた。

その方向は俺たちがやって来たヴァラス大樹海の方向であり、空の向こう側を見るように斜め上へ視線をやっている。

つられて俺も見てみるが、当然のようにそこには何もない。ただ晴れた青空が広がっているだけだ。だが——、

「なにかくる……だめ、まにあわない……ッ!!」

茫漠《ぼうばく》とした瞳で呟いていたセフィが、やにわに表情を一変させて叫んだ。まるで絹を切り裂くかのような悲鳴。

尋常ではないその様子に、俺も慌てて周囲を探る。

『魔力感知』を広範囲に伸ばしたところで——俺もようやく、その存在に気づく。

何か、巨大な、あまりにも圧倒的な魔力の塊が、高速で樹海の——おそらくは上空を飛翔しながら、真っ直ぐにこちらへやって来る。

『速すぎる……!!』

俺が気づいた時にはもう遅かった。

慌てて精霊体を解除。本体に意識を戻して結界を強化しようとした。しかし、結界の強化は間に合わない。高速で飛来してきた何かは、俺の張った幻惑結界など無意味とばかりにこちらへ直進。そのまま物理結界と魔法結界に衝突し——まるで紙でも切り裂くかのように、一瞬の抵抗すらなく、三層の結界は破られた。

『何だ……ッ!?』

結界を壊した基点、つまり上空には、ここ最近見慣れた——けれど、体表の色が違う魔物がホバリングするように翼を羽ばたかせている。

赤色をしたワイバーンだ。

それが全部で15頭、俺たちの頭上に浮かんでいる。

魔物の襲撃?

いや、違う。

この異様で異常な、まるで周囲全てを圧し潰すかのような気配を前にして、単なる魔物の襲撃だとは勘違いできない。俺の『魔力感知』は、ワイバーンたちの背に騎乗する何者かの魔力をはっきりと捉えている。

そしてその魔力の強さは、一人一人が最低でも——エルフの里を襲ったモブ顔の騎士以上だ。

『……』

やばい、ということしか分からない。

あまりにも唐突に、何の脈絡も予兆もなく、突如として襲来してきた脅威に対して、俺は思考停止し、とるべき行動をとれないでいた。

俺たちが見上げる視線の先で、ゆっくりとワイバーンたちが高度を落とす。

その中の一頭に騎乗した大柄な男が、俺たちを睥睨《へいげい》しながら口を開いた。なぜか、そいつの言葉は俺たちのもとまで、はっきりと聞こえてきた。

「いやがるいやがる。ゴミどもがウジャウジャとよぉ……。初めましてだな、新たなハイエルフよ。そんなわけで――」

男が眼下のセフィに向かって手を翳した。

最大限に嫌な予感がした。

走り抜ける危機感のままに、セフィの周囲に結界を張り巡らせる。物理と魔法の二種の結界を12層。俺が最速で作れる最硬の護り。

「――とりあえず、死ね」

男の手から放たれたのは、人の頭ほどしかない小さな炎の球体だった。

その色は紫。

見た目の貧弱さよりも、籠められた魔力の大きさに戦慄した。

12層の結界は無力だった。飛来する炎が触れた先から燃えるように消滅していった。果たして炎の威力を少しでも弱めることができたのか、飛翔するスピードを殺すことができたのか、それすらも分からない。

「「「姫様ッ!!　精霊様ぁあああッ!!」」」

呆然と周囲で成り行きを見守っていたエルフや狼人族が悲鳴をあげた。

爆発するように広がった紫炎はセフィの小さな体と、その傍らに立つ俺を呑み込んだ。

『ガァアアアアアッ――――！！』

全身があっという間に燃えていく苦痛に、俺は絶叫する。

モブ男の炎をそうしたように、炎の燃焼面に結界を張り付けて鎮火しようとした。だが結界が触れる端から炎に燃やされていく。鎮火は不可能。炎は幹を伝い、俺の全身へ瞬く間に延焼していく。

抗えない。

念話の魔力を辺り一帯に放散するようにして、俺は叫んだ。

『全員逃げろぉおおおおッッ!!』

モブ男なんて比較にもならない、圧倒的過ぎる炎に、俺の本体は聳え立つ薪《たきぎ》と化した。


エルフの長老である彼は、セフィと精霊樹のすぐそばにいた。

元エルフの里の中心付近に構えた酒蔵にて、酒造りに精を出していたのだ。だから突如として飛来してきた何者かの魔力を感じ、蔵から慌てて外へ出た。

そして彼の視界の中に衝撃的な光景が飛び込んでくる。

赤色のワイバーンに騎乗した何者かが、セフィと精霊樹へ向けて炎の球体を放った。

次の瞬間、爆発のごとく炎は広がり、セフィを精霊樹もろとも紫炎が呑み込む。

「姫様ッ!!　精霊様ッ!!」

炎は消えない。

まるで波濤のごとく精霊樹の幹を伝って、巨大な樹木の枝の先まで瞬く間に広がっていった。

『全員逃げろぉおおおおッッ!!』

まるで断末魔の叫びのように、精霊が辺り一帯に念話を放つ。

すでにセフィと精霊樹はごうごうと渦巻く業火に包まれており、その生存は絶望的に思われた。

エルフの希望たる二柱の存在を喪ったかもしれないという衝撃は、すぐに激しい怒りへ変わる。

「貴様ァアアアアッ!!」

上空を見上げる。

ワイバーンに跨がる存在を注視する必要すらない。この炎の色、感じる強大かつ吐き気を催すような禍々しい魔力の波動は、600年を生きる彼にとってまだまだ記憶に新しい。

憎き教国が擁する新神が一柱。

かつてアルヴヘイムの都を炎に呑み込んだ存在。

「ファイア・メイカァアアアアッ!!」

憤怒と憎悪をもって、その名を呼ぶ。

件《くだん》の禍々しき神は、騎竜の上からチラリと視線を寄越した。そして――、

「気安く俺様の名を呼ぶんじゃねぇよ、下等生物が」

まるでゴミでも捨てるように無造作に手を振るう。

その先から飛び出した紫色の炎が、回避不能な速度で長老を呑み込んだ。


禍々しく強大な魔力の訪れを、ウォルナットやローレル、森に狩りに出ていたエルフたちも感じていた。

その直後に、里を覆う精霊の三重結界が突如として失われたことで、彼らを衝撃が襲う。精霊が自ら結界を解いたのではないことは、状況から容易に推測できた。だからこそ、ウォルたちには信じがたい。

精霊が常時展開する里の結界は、エルフとはいえ只人《ただびと》に過ぎない自分たちからすれば、破壊など考えられないほどに強力なのだから。

明らかなる緊急事態。

「急げッ！　急いで里に戻るぞッ!!」

狩ったばかりの魔物を放り出し、エルフたちは森の中を疾走する。

巨大な魔物を運搬する都合上、狩り場は里からそう離れてはいない。だからすぐに森を抜け、精霊樹を中心に広がる畑がある、開けた空間へ出た。

視界に飛び込んで来たのは、禍々しい紫色の業火に包まれる巨大な精霊樹の姿。

現実を受け入れがたい彼らが呆然と眺める前で、炎に巻かれた精霊樹がバキバキと音を立てて倒れた。すでに業火は精霊樹のみならず、里の大樹たちにも延焼している。

かつてエルフの里そのものであった雄大なる大樹たちが、無慈悲な炎に殺されようとしている。

「何だよ……これは……」

「里は……姫様は……精霊様は、皆は……？」

ウォルナットが呆《ほう》けたように呟く。それはローレルも同じだった。

しかし、仲間たちの無事を問うような自らの言葉に、ハッと我に返る。

「皆の無事を確認しなければ！」

ローレルの言葉に頷いて、エルフたちは燃え盛る里へ向かって走り出す。

その道中、近づけば否応なく、宙に留まるワイバーンたちの姿に気づく。

それがこの惨状をもたらしたのだとは、流石に勘違いしなかった。赤色とはいえ、十数頭のワイバーンごときにここまでの被害を出すことなどできない。

種族的に例外なく、魔力を知覚する能力を持つエルフたちは、むしろワイバーン自身よりも、それに騎乗する者たちの方が圧倒的に強い魔力を持つことに気づいていた。

広大な畑の畦道を突っ切ると、数騎のワイバーン兵がこちらに気づいて近づいて来る。その背に乗る者たちが身に纏う鎧や、手にする魔剣の表面に刻まれたルーン文字による特徴的な意匠《いしょう》を目にして、ウォルナットたちはその正体に気づいた。

「教国……葬炎騎士か……ッ!?」

教国の兵がここまで追って来たのだ。

ぎりりと強く歯噛みするが、しかし上空を舞う相手を攻撃する手段はない。彼らの魔法をもってしても、ろくに届きはしないだろう。

「姫様……精霊様……!!」

同胞たちが、仲間が、家族が、あの炎に焼かれたのであろうことは、もはや明白だった。激しい怒りが湧き起こり、視線で殺せたらとばかりに憎悪を乗せて騎士たちを睨みつける。

だが、上空から向けられた魔剣の切っ先から放たれる、紫色の火弾に対して、彼らは無力だった。

数十の火弾が驟雨《しゅうう》のように降り注ぎ、地面に衝突しては爆発のごとき業火を撒き散らす。激しく燃え上がる炎の中に、エルフたちの姿は消えていった。


エルフたちと同じく、樹海へ狩りに出掛けていたヴォルフたち狼人族も、里を襲った異変には気づいた。しかしながら、魔力に対して鈍感な彼らは結界が破られたことや強大な魔力を持つ何者かの存在を感知したわけではない。

「爆発……!?　里の方角からか!?」

大気を激しく震わせる爆発音。

彼らの鋭敏な聴覚は、その音をはっきりと捉えていた。

「何かあったのかもしれん！　皆、急いで戻るぞッ!!」

「「「応ッ!!」」」

ヴォルフの言葉に頷き、狼人族たちは狩りを中断して森の中を獣のように疾走する。

里へ近づくにつれ、彼らの鋭敏な感覚に何かが燃えるような焦げた臭いが、炎が空気を貪るような燃焼音が否応なしに届いてくる。

それは彼らにとって、故郷を襲った教国の兵や騎士たちを思い起こさずにはいられないものだった。

先頭を走るヴォルフの胸中に、故郷を失った時のような不安感が湧き上がる。その感情に突き動かされるまま、獣すら置き去りにする速度で森を駆け抜ける。

視界が開けた。

里と広大な畑の光景は、けれどいつもの馴染みある牧歌的な風景ではない。

炎が。黒煙が。里の大樹を、広がる畑を、焼き尽くさんと覆う光景だった。

畑の中央にあるはずの、雄大な精霊樹の偉容も、大樹たちの堂々とした姿も、もはやない。炎に焼かれ幹が燃えてしまったゆえか、それらの木々は倒壊してしまったらしい。

愕然とする。

いったいなぜ――いや、いったい誰がこんなことをしたのか。

考えるまでもない。

燃え上がる里の上空を悠々と飛翔する複数のワイバーン。正確には、それに騎乗した者たちの姿には、すぐに気づいた。

「きッ、さッ、まッ、ラァアアアアアッッ!!」

怒髪天を衝くとは、この事だ。

激しい怒りに支配されたヴォルフは畑の中を駆け抜ける。傲岸《ごうがん》不遜《ふそん》に天を舞う愚か者どもを地に叩き落とさんと。

「――うぉおおおおッ!!」

走りながら闘気をミストルティンに込める。

右手に握ったミストルティンが、白い光を纏った。

奴らも森から出てきたヴォルフたちに気づいたらしい。３騎のワイバーン兵たちがこちらへ近づいて来る。狙い定めるはその内の一騎。

「絶対に許さんッ!!」

ヴォルフは走る勢いをそのまま乗せて、ミストルティンを振り抜いた。

背後を走っていた同胞たちも、考えることはヴォルフと同じだったらしい。振り抜いたミストルティンの斬線をなぞるように、弧を描く月のような形の気刃が、確かに上空のワイバーンたちを斬り裂くに十分な軌道と威力を持って飛翔した。

だが。

ワイバーンに騎乗する三人の騎士たちが、右手に握る長剣を前方に差し出す。そうして一斉に何事かを唱える。それは鋭敏な聴覚を持つヴォルフたちだからこそ聞こえた。

「「我が肉を杯に、我が血を我が神へ捧げる。御身の偉大なる恩寵を我らに――プロテクション・オブ・ファイア・メイカー」」

剣の先端から膨大な魔力が解き放たれ、それは瞬く間に紫色の炎と化してワイバーン兵たちを覆い隠した。

ヴォルフたちの飛翔刃が紫炎の壁に衝突し――、

「なん、だと……！」

呆気なく、散らされた。

一瞬の抵抗すら許されず、実にあっさりと。

あまりにも圧倒的な力量差に、全身を果てしない無力感に苛《さいな》まれて、ヴォルフたちの足が止まる。

炎が晴れ、彼らの頭上に3騎のワイバーンたちが飛来する。騎乗する騎士たちが魔剣の切っ先をヴォルフたちへ向ける。

ふと、その内の一人とヴォルフの視線が交錯する。

それはかつてエルフの里を襲った騎士とは異なり、殺戮《さつりく》や暴力に酔いしれるでもなく、ただ淡々と虫でも駆除するかのような、無感動で冷たい視線だった。

それに、ヴォルフは自らの逃れようもない死を直感する。

「森神様……精霊様……御守り出来ず、申し訳――」

悔恨の念から二柱へ謝罪を漏らす彼らの頭上から、全てを焼き尽くす紫炎の雨が降り注いだ。

ドワーフたちも自らの隠れ里のある迷宮、その外に襲来した異変には気づいていた。

迷宮へ続く洞窟に程近い場所で作業していたエルフたちが、尋常ではない様子で駆け込んで来たからだ。

「た、た、た、大変だぁあああああッ!!」

「なんじゃいなんじゃい、うるせーのぅ」

血相を変えて駆け込んで来たエルフたちの周囲にドワーフたちが集まり、事情を聞き出していく。

説明された異常事態は、外に何者か――おそらく十中八九教国の騎士――が攻めて来た、ということ。

ドワーフたちの長であるゴルド老の決断は迅速だった。

「おう！　女子供は中にいるんじゃ！　戦える男どもは外に出るぞッ！」

エルフたちを助けようというのではない。まずは何がどうなっているのか確認しないことには、何も行動をとれないから、外の状況を自らの目で確認するつもりだった。

そうして瞬く間に数十のドワーフたちが武器を持って集まり、迷宮の外へ出る。

短い洞窟を抜けて外を確認したゴルド老は、僅か数瞬で目の前の惨状が自らの手には負えないことを悟った。

「あ、ダメじゃコレ」

洞窟の外に広がっているのは、控えめに表現して地獄だった。

広大な畑が、その中央にある元エルフの里が、燃え盛る業火に包まれて黒煙を上げている。そしてその上空には十を超えるワイバーン騎兵たちが悠々と旋回していた。

もはや生き残りを助けるなどという段階ではない。いや、そもそも生き残っている者がいるのかどうか。

「――ぬ？」

呆然と変わり果てた光景を眺めていたゴルド老は、何騎かの飛竜がこちらに近づいて来るのに気づいた。

どうやら目敏《めざと》くも、自分たちの存在に気づいたらしい。と――、

「げげッ!?」

近づいて来る飛竜たちとはまだまだ距離があった。それでも飛竜の上に乗る何者かが魔法を放たんと膨大な魔力を練り上げるのを知覚する。その強さは今まで感じたこともないほどの強大無比なもの。

走り抜ける危機感に総毛立ったゴルド老が、仲間のドワーフたちに急いで指示を出す。

「洞窟の中に戻れぇいッ！　それから急いで岩の壁で洞窟を閉じるんじゃッ!!」

行動は迅速だった。

ドワーフたちは全員が洞窟内にとって返すと、やにわに地面や壁に両手を当てて、魔力を流し出す。

　そうして魔力が十分に浸透したところで、一斉に呪文を唱えた。

「「「大地よ、岩の盾となり我が身を守れ！」」」

　地面が、洞窟内の壁面が盛り上がり、硬質で分厚い岩となって入り口を塞いでいく。その岩の厚さは尋常ではなく、洞窟の入り口から5メートルをも超えるほどだった。

　そうして完全に閉ざされ、一時の暗闇に包まれた洞窟内に、激しい衝撃が走り抜ける。

「ぬぅッ！　奴ら、攻撃して来よった！」

　まるで大きな地揺れのように地面が揺れる。

　入り口を塞ぐ分厚い岩盤は、しかし、外からの攻撃によってビキリバキリと不吉な音を響かせている。このままでは砕かれるのも時間の問題だろう。

「致し方なし、じゃな」

　襲撃者たちの人数は少ない。だが、その戦力は想像以上であり、自分たちに撃退できるものではなかった。ゆえに、ゴルド老は決断する。

「この洞窟を全て塞いで、迷宮への入り口を閉ざすぞい」

　洞窟自体を崩落させれば、さすがに掘り起こすのは時間がかかるはずだ。それにもしかしたら、洞窟を崩すことで迷宮へ続く入り口が消滅し、万が一洞窟を掘り返されたところで、奴らも追って来られなくなるかもしれない。

　というより、もはやそれ以外に自分たちが生き延びる方法はなかった。

「そ、そんなッ!?」

だが、それに異を唱えたのは、異変を伝えにやって来たエルフだった。

仲間たちを助けたい彼は、外へ出たドワーフたちに同行していたのだ。

彼の悲痛な声にも、しかしゴルド老は決断を覆さない。エルフの肩に手を乗せ、諭《さと》すように告げる。

「残念じゃが、外の者たちの事は諦めい……もう、死んどる」

「う、うう……ッ！」

涙を流してくずおれるエルフにもう構わず、ドワーフたちに指示を飛ばす。

「さあ、さっさと迷宮に戻るんじゃ！　それから５人だけ残り、迷宮に戻る前に儂と一緒に洞窟を崩すぞ！　手伝えい！」

「「「応ッ!!」」」

しかし次の瞬間、決意を固めたドワーフたちの足元で、ボコリっと、洞窟の地面が不自然に盛り上がった。


見つけたエルフの隠れ里。

小生意気にも幻惑結界で場所を隠しているようだったが、ディランが放った斥候がすでに場所を掴んでいたし、何より炎神たる己であれば、稚拙な結界による偽装を見抜くなど造作もないことだった。

卵の殻のように脆弱な物理結界も魔法結界も、ほんの少し撫でるように力を籠めれば呆気なく崩壊した。

そうして侵入した里には、確かにハイエルフがいたようだ。

だが。

その全てを浄化の炎で包み込み、しかし、それをワイバーンに騎乗しながら見下ろす炎神は不機嫌だった。

ここにはヴァラス大樹海に大穴を開けた何者かがいるはずだった。それはハイエルフに違いないと思っていたのだが、実際に会ってみれば、確かに膨大な魔力をその身に湛《たた》えてはいても、何も出来ない小さなガキに過ぎなかった。

ハイエルフは挨拶代わりの一撃で呆気なく消えてしまい、他の強者がいるのかと思えば、どいつもこいつも戦うに値しない雑魚ばかり。

「おいおいおいおいおい、何だよ。ずいぶんと期待外れだな」

神とはいえ、生まれて数年ならばこの程度なのか。

かつて戦った先代のハイエルフは、今の炎神からしても化け物のような強さだった。それが強く印象に残っているあまりに、過大な期待を抱いてしまっていたのか。

「つまんね。……帰るか」

これならば、自分がわざわざ出てくるまでもなく、数人の騎士を派遣するだけで十分であった。

もはやエルフの隠れ里から興味を失った炎神は、後のことは騎士どもに任せて自分は聖都に帰還するか――とまで考えたところで。

ばづんッ――と。

何かを断裁するような重苦しい音が、ほぼ同時に、幾重にも連なって聞こえた。

その直後、炎神の体を浮遊感が襲う。

「――お？」

なぜか地面に向かって落下していく。

その最中、見ればワイバーンの首が切断され、頭部はどこかへ失われていた。何らかの攻撃によって、ワイバーンが一瞬の内に殺されたのだと理解する。

そして正体不明の音は、一つではなかった。

瞬時に周囲へ視線を巡らせてみれば、15頭、全てのワイバーンの首が落とされ自由落下の最中だった。

「ほぉう、面白ぇじゃねぇの……!!」

炎神は自らの周囲に炎を纏う。

神聖にして高温なる魔法の紫炎は、騎乗していたワイバーンの巨体を瞬時に焼き尽くす。

その直後、恐らくはワイバーンを屠った攻撃と同種と思しき攻撃が、炎神へ向かって放たれ――、

「こんなんじゃ俺は殺せねぇぜ？　頼むから……もっと楽しませてくれよ？」

身に纏う炎の前に、触れることもなく消滅した。

第五十五話　反撃開始

そこは一条の光すら差し込まない暗闇だった。

俺は正直、恐怖に震えている。自らの無力感に圧し潰されようとしている。

突如として襲ってきた教国の騎士たち――特に俺とセフィへ向かって炎を放った、灰色の長髪を靡《なび》かせた大男には、どのようにしても勝てるとは思えない。それほどに圧倒的な力の差を感じた。

敵を退けるどころか、皆を守ることさえ出来ないかもしれない。

考える。考える。考える。高速で幾つもの戦術を戦略を思い浮かべては却下していく。

俺自身が完膚なきまでに消滅する――つまりは死を前提に命を使い切るつもりでも、勝利への道筋を見出だすことができない。

絶望が俺の心を支配しようとした。

『ユグ、だいじょぶ』

その時、俺の心の中にセフィが語りかけてきた。

その声音は、この絶望的な状況にあっても、何も諦めていない。

『セフィとユグなら、あいつらだってやっつけられる』

だが、その言葉に頷くことができない。

『だが、どうすりゃいいんだよ……』

精神論で何とかなる相手ではない。そんな容易い相手でも、楽観的になれる力の差でもないのだ。

そんな俺にセフィは、あっけらかんと答えを提示した。

『こうすればいいよ』

『こいつは……』

途端、俺はセフィが何を言わんとしているのか、理解した。

『こんなこと、できたのか』

それは純粋な驚き。

ハイエルフというのは、もしかして人よりもブリュンヒルドたちのような精霊に近い存在なのかもしれない。

セフィが「それ」をした途端、俺の中に莫大な力が流れ込んできた。もしもこの「力」が俺の思う通りなのであれば、確かに奴らを倒すことも可能になるかもしれない。少なくとも、一方的な蹂《じゅう》躙《りん》から戦いと呼べるくらいには、奴らに抗うことができるはずだ。

しかし、しかし——だ。

『こんなことをして、セフィは大丈夫なのか？』

それは単なる力の譲渡ではない。

一時的に少しの力を分け与えることならば、俺の一部に触れていればセフィには可能だ。例えば日課として俺の本体を「おうえん」する時のように、魔力を譲渡することができるはずだ。しかし今やろうとしていることは「一時的」なものでも、「ほんの少しの力」でもなかった。

『ん……ホントはセフィのかれいなけんぎでやっつけたいけど……このからだじゃ、どうせうごけないから……』

『……そうか』

頷き、俺は精霊体を生み出した。

俺の精霊体はほのかに発光している。その光が、暗闇に包まれていた小さな空間を照らし出した。

そこは地面の下――地下にある。

半径1メートルにも満たない球状の空間。

室内――と呼んで良いものか、ともかく壁面には継ぎ目のない木目模様が浮かんでいる。

何のことはない。ここは地面の下に作り出した、俺の体の中だ。瘤状に変形させた根の内側に空間を作り出しただけである。

ワイバーンに乗った灰色髪の男が炎を放った瞬間、俺は多重結界でセフィを覆うと同時に、地面の下の根を動かして、セフィを地中に引き込んだのだ。

その咄嗟の判断は功を奏し、セフィは一命を取り留めることができた。

だが……、

『セフィ……ごめんな』

その姿は、無傷とは言えなかった。

左腕全体から頬にかけて、あるいは左半身の多くを覆うように、無惨な火傷がセフィの滑らかな肌を走っていた。炎を吸い込んで熱が気管すらも傷つけたのか、いまや声を発することもできず、セフィは眠ったように両目を閉じている。

本当ならこれくらいの火傷、魔法で癒すこともできるはずだ。だが、幾ら回復魔法をかけてみても、この火傷は癒えることがなかった。あの紫色の炎は普通の炎ではなく、まるで呪いを含んでいるかのように火傷の治癒を拒絶した。

『だいじょぶ。じかんはかかるけど、なおるから』

セフィの声に苦痛はない。

『それに、あやまるのは、ちがうでしょ』

それどころか、決然とした意志を込めて言うのだ。

『ユグのせいじゃないし、だれもわるくない。わるいのは、あいつらだし。みんなをまもらないと』

『ああ……』

今は謝罪も後悔もしている場合じゃない。

わかってる。

『うん。……じゃあ、がったいするよ?』

『言い方……』

合体って。

いやまあ、その通りではあるのだが。

俺は覚悟を決めて、頷いた。

『……よし、バッチ来い！』

途端、セフィの四肢が変化する。

茶色の樹皮を持ち、無数に枝分かれした樹木の根のように変化して、壁面――つまりは俺の一部に接触すると、まるで同化するように接触面が融合していく。

正面からは見えないが、すでにセフィの背中も俺と同化しているはずだ。背中が同化したのはセフィが俺に教国の敵どもに対処する方法を示した時で、それによって俺はセフィが何をするつもりだったのかを悟った。

セフィとの合体。あるいは同化。融合。

俺とセフィの個の境界が薄れ、二つの存在が一つになっていく。

とはいえ、完全に同化するわけではない。体の一部を同化させることによって、能力を統合するだけだ。依然として俺は俺のままだし、セフィはセフィのままだ。

しかしながら、セフィと繋がることによって、俺は莫大な力の恩恵を受けることになる。

それはすなわち、ハイエルフの持つ権能。

森に在る限りにおいて、森から無制限に魔力の供給を受けるという、力。

ヴァラス大樹海のような広大無辺な大森林にいるならば、事実上ほぼ尽きることのない無限の魔力を。

『お？　おおお、おおおおおおおおッ!?　こいつは、すげぇ……ッ!!』

森から魔力の供給を受けている証拠なのか、ぼんやりと光り輝くセフィを介して膨大な魔力が止まることなく流れ込んで来る。

地下茎に蓄えていた魔力を含めれば、俺は数万の魔力を保有していた。だが、セフィから供給される魔力は、その比ではない。文字通り桁が違うってやつだ。

これならば、少々無茶なことでもやることができる。

『むんっ！　セフィのちょーぱわー、どう？』

『ああ！　流石セフィだな。これなら、何とかなるかもしれん……！』

『ふふーん！　でしょ!?』

セフィが得意気に言うが、これはマジで凄まじい。

この無限の魔力を前提に、俺が新たな作戦を練っていると――、

『ハッ!?　そういえば、みんなはだいじょぶかな!?』

セフィが地上にいる皆のことに思い至ったのか、慌てたように聞いてきた。

確かに今も地上には教国の騎士どもがいて暴れているはずだ。地上にいた多くのエルフや狼人族が危険に晒されていると思ったのだろう。

だが、それについては対応済みだ。

『安心しろ、セフィ。それについては――』

『大丈夫だぜ。とりあえず上にいたのは全員保護に成功した』

途中から答えたのは、精霊体でここにいる俺ではなかった。

しかし、それは間違いなく俺の声でもある。

『ふえ？　ユグがふたり？』

どうやらセフィも、ここに精霊体で顕現している俺と、本体である精霊樹から話しかけた俺と、別々の俺がいることに気づいたらしい。

『いま俺の本体を操ってるのは、「分霊生成」のスキルで生み出したもう一人の俺だ』

『そういうわけだ。よろしくな、セフィ』

俺は地下のこの空間に引き込んだセフィの治療に専念したかった。何しろ最初は消えない炎がまとわりついており、一刻を争う状況だったのだ。

炎は水魔法で生み出した水と強力な魔法結界をこの空間に張り巡らすことで、何とか消すことができた。推測するに、あの炎の「消えない」という性質は、常に魔力が供給され続けることで実現するらしい。燃焼面に結界を張り付けて消火することはできなくとも、炎がある空間ごと魔法結界で覆ってしまえば、魔力の供給は遮断することができたのだ。

しかし、俺がそうしている間にも上にいる住人たちは危険に晒される。

同時進行で彼らを救出——つまりは、セフィにしたのと同じように、地下に張り巡らせていた根を操り、地面の下に退避させる方法——をするため、俺は【神性値】を消費して分霊を生成、本体の操作を任せた、というわけだった。

分霊とはいえ、完全に俺と同じ記憶と自我を備えているから、状況も把握している。自分自身なので当然と言えば当然だが、まさに以心伝心で成すべきことを成してくれた。

『ふえー、ユグ、しゅごい』

『まあな！』

　セフィが感心したように言う。

　俺も初めて使ったスキルで、想像した通りの性能なのか不安だったが、どうやら問題ないようだ。本来は別に依り代を用意して憑依させるのが通常の使い方だろうが、俺の場合は本体が巨大で一人では隅々まで意識が回らない。それを補助してもらうためにも複数の分霊を本体に宿して補助できないかと考えていたが、そういう使い方も可能だったようで一安心である。

『んで、上には？』

　俺は俺に聞く。

『とりあえず狩りに出てたウォルやヴォルフたち含めて回収済みだ』

　俺は俺に答える。

『グラムたちには？』

『すでに念話で指示を出した』

『ブリュンヒルドたちは無事か？』

『俺も含めて延焼しないように地上部分と切り離したからな、何とか無事だ』

『良し。なら回収した皆は洞窟の方に避難させてくれ』

『今、そのための通路を作ってる最中だ。それから長老の話だと、上に居るのは葬炎騎士団と、教国の新神――炎神ファイア・メイカーらしい』

どうやら分霊は地下に回収した長老たちと話していたらしく、襲撃者どもについての情報も聞き出していたようだ。

俺はファイア・メイカーについて、どのような神なのかを分霊から聞くが、まあ、名前から想像する通りに炎を司る属性神であるらしい。弱点は当然のごとく水――とのことだが、生半可な水では意味がなさそうだ。

なぜならば、

『チッ、ウォーターカッターが効かねぇ！』

分霊が地下に埋めていたウォーターカッター用の砲塔を操って、今まさにファイア・メイカーを攻撃したらしいが、身に纏う紫炎に触れる前に呆気なく蒸発してしまったらしい。だが、

『騎士ども含めて全員地上に叩き落としてやったぜ。ワイバーンは全部倒した』

飛行手段を奪うことには成功したようだ。空を飛ばれちゃ戦いにくいなんてもんじゃないからな。それに相手が空を飛ばないことが、これから行う反撃のための最低条件でもある。

『良し、なら――』

俺は作り出した精霊体を解除して、本体に意識を戻した。

セフィから無限の魔力のバックアップがあるとはいえ、ここからは素早く、かつ精密に俺の体を「変形」させていかなくてはならない。分霊一人の処理能力では不可能だろう。だが、二人いれば何とか――、

『セフィもてつだう！』

と、セフィがそんなことを言った。

しかも声の聞こえ方が少しおかしい。さっきまではセフィの体から念話の魔力が放射されていたが、今の声はそもそも念話ではない。同じ体に同居する分霊と純粋な思念で会話するように、セフィの思念がそのまま伝わって来るような感じだ。

『おいおいまさか』

俺はセフィがいま、「何処」にいるのかを悟った。

『セフィ、俺の体に憑依したのか!?』

『うん！』

セフィは簡単そうに頷くが、そんなことが——と考えて、俺は今の状態に思い至る。セフィの能力を俺に統合しているということは、俺の能力がセフィに統合されている、ということでもあるのだ。今のセフィならば、俺の体に憑依するどころか、分霊を生み出すこともできるのかもしれない。

呆れるやら、そんなことをして大丈夫なのか心配になるやら、言いたいことは色々あるが——正直、今の状況では助かる。ならば遠慮なく手伝ってもらうことにしよう。

『わかった！　なら、けっかいはセフィにまかせて！』

俺はセフィにこれから行うことを説明した。

『おう！　任せたぜ、相棒！』

『うおー！』

そうして、俺たちの反撃が始まる。


『砲塔が6基壊された！』

分霊が地上の様子を報告する。

どうやら騎士どもによってウォーターカッター用の砲塔が壊され始めたらしい。結構な高さから地上に墜落したはずだが、敵側に死傷者は一名も出ていない。それどころかすぐさまワイバーンを倒した攻撃がどこから放たれたのかを察知し、攻勢に転じたらしい。

敵ながら迅速な動きだ。

もちろん、本体に意識を戻した俺もセフィも、今は地上の様子を把握できている。

ドラシル形態時に作り置きしていた砲塔は全部で12基。まだ6基が残っているが、全て破壊されるのは時間の問題だろう。

『急ぐぞッ！』

セフィから供給される無尽蔵の魔力を、俺の本体の隅々まで送り出す。

溢れんばかりに全身へ魔力が満たされる感覚は初めてだ。体が軽いというか、今ならば地面を蹴って跳躍できそうな気がするほど力が湧いてくる。

尽きることのない魔力を植物魔法に転換し、俺は自らの体を操り、変形させ、成長させていく。

地下で蠢く俺の体が高速で地中を掘り進め、まるで地揺れのように地面を揺らす。

次の瞬間、地面を割り割いて、大樹のごとき太さの根が、まるで塔のように幾本も地上に出現した。

塔の出現場所は、燃え盛る畑の外縁。

葬炎騎士どもと炎神を内部に捕らえる巨大な円を描く。

無数の塔は噴き上がる間欠泉《かんけつせん》のようなスピードで成長を続け、形を変え、それぞれが頂点で先端を結合させ、塔と塔の間に枝を伸ばして隙間を埋めていく。

出来上がったのは元エルフの里とその周囲に広がる畑を丸ごと中に閉じ込めるような、巨大なドーム状の鳥籠だ。

それはあまりにも巨大な構造物。

根っこで出来た鳥籠は、さらに内部空間へ向かって無数の根を伸ばす。

根の役割は吸収。水を、養分を、そして魔力を吸収する物。

『ユグ！　けっかいはったよ！』

『サンキューセフィ！　ならこっちも始めるぞ！』

セフィが鳥籠に重ねるように、ドーム状の結界を張った。

それは幾重にも連なる魔法結界。さすがはハイエルフと言うべきか、セフィの魔法能力は俺を遥かに凌駕《りょうが》していた。俺よりもなお強靭に、俺よりもなお緻密に、俺よりもなお無数の結界を多重展開している。

この結界により、もはや鳥籠の中に外部の魔素が流れ込むことはなくなった。

そして、奴らが常識を超えた力を発揮できるのは、ルーンの刻まれた武器や防具で周囲の魔素を集めて利用するからだ。ゴルド老曰く、魔素吸収術式。

ならば、吸収する魔素がなくなったら？

『『――エナジードレインッ!!』』

俺と分霊が全力で『エナジードレイン』を発動する。

鳥籠の内部の空間、そこに満ちる大気中の魔素を、根刮《ねこそ》ぎ吸収する。

結果、鳥籠の内部は急速に魔素のない空間へと変貌する。

――無魔素結界。

ゴルド老の解析結果を踏まえて、ルーン技術を持つ教国に対抗するため、俺が編み出した苦肉の策。今の俺の力では実現不可能だと思っていたが、無限の魔力があるなら別だ。

鳥籠の内部で魔素が枯渇していく。

それと共に、燃え盛っていた炎の勢いが急速に弱まっていった。魔力によって消えることのない炎は、魔力がなければ燃え続けることはできない。自分自身の魔力を供給しようにも、無魔素結界内では体外に放出した魔力は急速に拡散し、炎へ魔力を届けることも容易ではない。魔素とは空気のようにどこにでも在るもので、その真空地帯を周囲の魔素や魔力で埋めようとする性質がある。

だから、もう奴らは体外に作用する魔法を簡単に使うことはできない。

そのからくりに気づいたのか、奴らは自らの魔力を大量に消費して、鳥籠の隙間から外部の魔素の流入を塞《せ》き止める魔法結界を壊すべく、魔剣を振って炎を放った。その形は斬線をなぞるような半月の刃となって飛翔し、高速で結界に衝突する。だが、

『ぜんぜんきかないよっ！』

　確かに1枚2枚の結界は砕いた。

　しかしながら、セフィの結界は一見して俺でも分からないほどの枚数が重ねられているし、壊された結界も瞬時に修復される。

　ルーン技術の恩恵を失った騎士たちの攻撃では、破ることなど永遠に不可能だ。

　とはいえ、鳥籠の隙間は容易に人が通り抜けられるほど大きく、結界の外に出られてしまえば弱体化は解ける。

　結界を破れないと判断した騎士どもは、今度は鳥籠の外に脱出することにしたらしい。闘気術も使えるのか、ヴォルフ並みの速さで外へ向かって走り始める。

　セフィに物理結界も張ってもらうという手もあるが、多重の魔法結界と同時に展開するとなると、どうしても強度は落ちる。もしかしたら、結界を破られてしまうかもしれない。

『こっちも忘れてもらっちゃあ、困るぜッ！』

　だが、もちろんそんな動きを見逃すわけもない。

　分霊が6基の砲塔を操り、走り出す騎士どもに向かってウォーターカッターを放つ。

　六条の鋭き水流は、6人の騎士どもに命中し——、

『チッ！　まだあんな魔力が残ってんのかよ!?』

二人の騎士は対処が間に合わず、水流によって体を両断された。

しかし他の四人は小さな炎の盾――おそらくは範囲を絞って強度を上げたのだろう――で、ウォーターカッターを防ぐことに成功している。

だがその瞬間、鳥籠の外から内部へ飛び込んで来た一条の黒い影が、さらに二人の騎士を一刀のもとに両断した。それは視認するのも困難なほどの、まさに流星のような速度だった。

左右の手に漆黒の大剣を握る、全身鎧に鬼面の存在を見て、セフィが歓声をあげる。

『グラムだ！』

グラムに両断された騎士たちの上半身がクルクルと宙を舞い、どしゃりと地面に落下する。

他の騎士たちが警戒するように突然現れたグラムに視線を注ぎ、対するグラムは重苦しくも激しい感情に彩られた声を、念話にて周囲へ発した。

『貴様ら……この痴《し》れ者どもが……ッ！　生きて帰れると思うなッ！』

騎士たちの幾人かが、そんなグラムの迫力に怯んだように後ずさる。

騎士どもの背後にいる灰色髪の男だけが、いまだニヤニヤと笑いつつ、手を出すでもなく成り行きを見守っている。そこには余裕とも違う何かがあるようで、どこか不気味だ。

「何だよお前ら、良いようにやられちゃってんじゃねぇか。恥ずかしー。……もっと本気出せよ」

その言葉は俺たちに向けられたものではなかった。むしろ灰色髪の仲間である、騎士たちへの言葉。

直後、騎士たちの指揮官と思しき怜悧な顔立ちをした男が叫んだ。

「総員、その命を捧げよッ!!」

『はあ……？　何だと？』

わけの分からん指示に、俺は思わず間の抜けた声を発した。

しかし、次の瞬間、響いてきた唱和するような声に、戦慄が走り抜ける。

「「「血は炎。肉は薪――」」」

それはモブ男が炎の魔人と化した時に、唱えていた呪文。

『グラム！　今の内に奴らをッ!!』

『承知！』

慌ててグラムに指示を出す。

残っている騎士どもは10人。この全員が炎の魔人と化せば厄介なことになる。

俺も6基の砲塔を操り、再びウォーターカッターを放とうとした。

しかし――、

「おいおい、俺の眷属どもの一世一代の晴れ舞台だ。邪魔するんじゃねぇよ、無粋《ぶすい》だろ？」

莫大な魔力が灰色髪の男――ファイア・メイカーから放たれる。それは無魔素結界内で魔法を魔素に分解され吸収されながらも、ただ単に圧倒的な魔力量にものを言わせて魔法を発動することに成功した。

残る6基の砲塔が、突如として燃え上がる。

同時、グラムが高速で間合いを詰め、騎士の一人に斬りかかろうとしたところで、紫炎の壁が立ちはだかってグラムの足を止めた。

「「「骨よ支えよ炎を高く！」」」

その間にも騎士たちは詠唱を進めていく。

掲げる魔剣の剣身では、刻まれたルーン文字が密集する模様が、まるでファイア・パターンのように発光している。

しかしながら、以前のように詠唱の途中で炎が騎士たちの体を覆うことはなかった。

無魔素結界が奴らの魔人化を阻害しているのだ。

やはりあれにも、魔素吸収術式が利用されていたらしい。考えてみればそれも道理だ。そうでもしなければあれほど滅茶苦茶な真似が実現できるはずもない。

周囲の大気に魔素が含まれていない以上、魔人化に必要な魔力が足りないようだが――、

「「「脂《あぶら》をくべて育て轟炎《ごうえん》！　滅せよ滅せよ我が敵を！」」」

どうやらそれは、希望的観測であったらしい。

例えば魔人化が自らの命を糧《かて》に発動する奥義《おうぎ》なのだとしたら、確かに弱体化はすれど、周囲の魔素など関係なく魔人化自体は発動できるのだろう。

「「「我が偉大なる神【ファイア・メイカー】よ！　御身が眷属が願い奉る！　我が身を捧げ御身の加護を与えたまえ――」」」

『くそったれッ！』

『ぬうッ！　邪魔を！』

もちろん俺も黙って見ているだけではない。地面から槍のように幾本もの根を生やし、騎士たちを攻撃しようとする。グラムも炎の壁を迂回しながら、あるいは闘気で形成した刃を飛翔させながら、奴らの詠唱を止めようとした。

しかし、そのどれもが、

「だから、邪魔すんじゃねぇって」

鬱陶しそうに炎神が腕を振る度、膨大な魔力にものを言わせて紫炎が燃え盛り、俺の根を、グラムの気刃を容易く燃やし尽くす。

「「「命の松明《たいまつ》燃え盛れ！　グレイス・オブ・ファイア・メイカー!!」」」

瞬間、煌々とした爆炎を伴って、騎士たちの体が炎に包まれる。

爆炎が晴れた後に現れたのは、つい二ヶ月前にも見たばかりの、紫色の炎を纏った魔人たちだ。

だが、一人だけ姿が違う。

角が生えた魔人と化しているのは、あの指揮官だろうか。内包する魔力が一人だけ桁違いだ。

確かに身に纏う炎の勢いは、前の奴——モブ顔の男より弱まっている気もする。それが無魔素結界の影響だとしても、大幅に弱体化しているという印象はない。加えて指揮官級の魔人だけは、今の時点でさえモブ男を遥かに超えている気がした。

そしてさらに、事態は最悪になる。

「よぉし、ついでだ。俺からも直々に祝福を与えてやろう——」

ここには騎士たちが崇める神、そのものがいるのだ。

　炎神の身から、膨大な魔力——いや、魔力以外の何かの力が放出され、水が高いところから低いところへ流れるように、自然と騎士たちへ流れ込み始めた。その力は無魔素結界の影響を全く受け付けていない。

『なんだッ!?　何をした!?』

　分からないという恐怖に狼狽える俺に、答えを示したのはセフィだ。

『むむっ!?　あれはしんりき！』

　しんりき——神力であろうか。

『しんりきできょうかしてる！』

『神力って、まさか……』

　魔力以外のその力に、俺はどこか既視感を抱いていた。そうして神力という言葉を聞いて、思い至る。それは俺も何度か使用したことのある力だ。

『【神性値】で強化してるってことか!?』

『そう！　それ！』

　俺の推測は当たっていたらしいが、全く嬉しくはない。

　炎神の力で強化された騎士たちは、その身に纏う炎をさらに強化させた。

　火勢は強まり、背中から炎で出来た一対の翼を生やし、宙に浮かんだ。手にした魔剣をも炎は侵食し、それはみるみる内に長大な炎の槍へと変化する。

　魔人の１体１体が、以前に里を襲ったモブ男よりも明らかに強い。

『馬鹿な……！』

流石のグラムも、これだけの敵を前にしては平静を保てないらしい。

それは俺も同じで、凄まじい焦燥感に襲われる。

せっかくワイバーンたちを仕留めたというのに、騎士どもに自由に飛ばれたら容易く結界の外に逃げられてしまう。

だが、絶望はこれでお仕舞いではなかった。

「ああ、それから――」

炎神が無造作に右手を頭上へ掲げた。

その手の先に神力とやらが急速に集まり、

「――神炎」

小さな呟きと共に、炎が生まれる。

白く白く白く、どこまでも煌々と輝く炎。

それが一条の火線と化して、高速で巨大な鳥籠の天蓋へと突き刺さった。

『むううううっ!?』

セフィの展開する多重結界が一瞬の後、その全てが砕かれ、

『ぐッ!?』

天蓋を構成する巨大な根が、白き神炎に触れる端から灰と化していく。

もはや燃焼という物理現象を経ているのかも分からない。急速に延焼していく炎を食い止めるた

め、俺は天蓋を構成する根を自切することで難を逃れるしかなかった。

鳥籠の上半分は僅か数秒で燃やし尽くされ、さらさらと灰が雪のように降り注いで来る。結界は失われ、枯渇していた魔素が流れ込んできた。

流れ込んだ魔素を吸収したのか、炎の魔人たちの火勢が強くなる。炎の槍は長さと刃の大きさを増し、背から生える炎の翼は２対４枚に増えた。

炎神はニヤニヤと楽しそうに嗤《わら》いながら告げる。

「さあ、頑張って抵抗してくれよ？」

『あ、遊んでやがったのか……!!』

こんなことが出来るなら、最初からやれば良かったはずだ。そうすれば騎士たちも命を代償とするような技を使うこともなかったはず。

それをしなかったのは、猫がネズミをいたぶるように、俺たちで遊んでいたからとしか思えない。

いや、もしかしたら奴にとっては騎士たちでさえ自らの遊び道具に過ぎないのだ。もしも騎士たちの命を少しでも大切に思っているならば、使ったら死ぬような技を使わせる前に、手助けなり何なりするはずではないか。

仲間の命さえ、何とも思っていないのか？　奴にとっては下らない遊びで喪っても良いと思うほど、軽いものなのか？

『こんな奴に勝てるのか……？』

それはセフィの無限の魔力をもってしてさえ、果てしなく困難なように思われた。

俺の心に怯懦《きようだ》が生じる。

炎神の理解不能な精神性が怖い。

だが、それでも諦めるわけにはいかないのだ。

『おい、俺』

その時、分霊が俺に話しかけてきた。

『全員の準備が整ったぞ』

『そうか……』

本当ならば無魔素結界で弱体化している内に、圧倒的戦力で勝負を決めたかった。

だが、それももはや不可能だ。いや、最初から無意味だったのだ。

ここからは総力戦かつ、消耗戦になるだろう。

切り札だと思った無魔素結界を使っても、結局は騎士を4人倒せただけだ。まだ10人の騎士と炎神が残っている。

無理矢理前向きに考えるならば、無魔素結界が失われたことで、こちらも魔法を使えるようになった――ということだろうか。全く割に合わないが。


ヴァラス大樹海を北西へ向かって進み続けていた狼人族たちは、そろそろ旅の終着点に差し掛かっていた。

　道標としていた大魔力の残滓も既に森から消えているが、進む方向にあるのはドワーフたちの隠れ里以外にない。狼人族100人の集団を率いるガーランドも、エルフたちがそこへ向かって進んでいることを信じるしかなかった。

　そしていよいよ目的地へ辿り着こうかというところで、

「……おい、グレビレア、感じたか？」

　先頭を行くガーランドは、すぐ後ろを振り向いた。

　褐色肌のエルフ――グレビレアが険しい顔で木々の向こう側、ドワーフたちの隠れ里がある方向を睨みながら答える。

「ああ……巨大な神力の迸《ほとばし》りを感じた」

　神力を自在に行使できるのは、神だけだ。

　だとすれば、この先に森神たるハイエルフがいる証拠だろうか？　とは、どちらも考えなかった。

　感じた力が肌を刺すようにピリピリとした、どこか破滅的で暴力的なものだったから。

　森とは生命と豊穣の象徴であり、その化身である森神が振るう力は、本来破壊とは対照的なものだ。

　ゆえに、

「姫さんの力じゃねぇな」

　だとするならば、この神力の主は誰なのか？

ガーランドには嫌な予感しかなかった。

しかしながら不幸中の幸いにも、感じた力の発露はほど近い。

ガーランドはここまで率いて来た同胞たちを振り返り、告げた。

「俺は先に行く！　お前らは後から来い！」

「私も一緒に行くぞ」

「助かる」

グレビレアに頷くと、二人は引き止める声を無視して走り出した。

第五十六話　総力戦、そして――、

畑の外縁、円周上に巨大な塔のように突き立つ鳥籠の残骸。

つまりは俺の体の一部から、格納していた狂戦士ゴーレムたちを解き放つ。

その数はおよそ３００。

まさに死をも恐れない軍団だ。

加えて、それらの集団を率いるように、空へ飛び出した二つの人影。

「主様！　お待たせいたしました！」

「やっと出て来られた……。あいつら、許さない」

『あ！　ブリュンヒルドたちだ！』

『すまん二人とも！　頼むぞ！』

「お任せを！」

「頑張る」

自在に空を飛ぶ能力を持つヴァルキリー――ブリュンヒルドとエイルの二人だ。

彼女たちの本体たる里の大樹は炎神によって燃やされてしまったが、いまや全ての里の大樹たちは地下で俺と融合している。巨大な地下茎と地面の下にある根さえ無事なら、大樹を再生することもできるし、大樹の化身である彼女たちだって無事だ。

それでも大樹を燃やされた影響は皆無ではなく、ここまで戦闘に参加することはできなかった。

セフィから大量の魔力を供給し、ようやく戦闘可能なまでに回復したのが実情だ。

彼女らは宙を飛翔しながら狂戦士たちを指揮しては、騎士たちへ均等に配置していく。

『さて、どうするか……』

戦端は開かれる。

炎の魔人たちが槍を振るう度に、2対4枚の炎の翼を羽ばたかせる度に、煌々と輝く炎が飛翔する刃や無数の炎弾と化して、狂戦士たちの上に降り注ぐ。

宙を舞う魔人たちに対して、空を飛ぶ能力を持たない狂戦士たちは攻めあぐねている。


『まずは全員外に出すぞ』

『そうするっきゃねぇか』

俺は分霊の提案に頷いた。

地下にはエルフや狼人族、ドワーフの戦士たちが待機している。

地上で騎士どもと戦闘を繰り広げながらも、非戦闘員の退避は進めていたのだ。地下から隠れ里に繋がる洞窟まで、中が空洞の根を通路のように伸ばして、洞窟内に隠れていたゴルド老の足元まで皆を移動させた。

そうして戦えない者たちを退避させたのだが、ありがたい事にゴルド老をはじめとするドワーフたちの一部は、この戦いに参加してくれるという。

正直、あっさりと見捨てられることを覚悟していたから、彼らの提案には驚いた。

だが聞いた理由はまあ、ドワーフらしい単純なものだったが。

「大事な酒の供給源を守るために、協力するのは吝《やぶさ》かではないのう」

「あれほどの酒、他の何処でも飲めるとは思えんからの」

「美味い酒は人類の宝じゃぞ」

ドワーフたちとしても、酒と食料に困らない生活を守るためならば、少々の危険を冒すことも厭わないらしい。

口々にそう言うと、ドワーフたちは金属製の重装鎧を着込み、巨大な斧や鎚《つち》を持って戦いに参加してくれることになったのだ。

『おりゃあああッ！』

俺は地下から巨大な根を生やす。

戦場の各地点にバラけるように、三つ。

高さよりも太さを重視した根は、地上へ出ると花が開くように展開した。根の内部は空洞で、地上へ出るための階段が設置されている。

地下で待機していたエルフ、狼人族、ドワーフたちがそれぞれの階段から駆け上がって来て、次々に戦場に躍り出て行く。

『俺たちは皆を援護するぞ！　セフィ、手伝ってくれ！』

『うん！　まかせて！』

戦場に散らばる仲間たち全員へ向けて、俺とセフィは魔力にものを言わせて、「身体強化魔法ストレングス」を始め、魔力強化、生命強化などの補助魔法を重ねがけしていく。さらに、

『弱体化と嫌がらせは俺に任せろ！』

分霊が炎の魔人たちに「弱化魔法ウィークン」を多重にかけつつ、その移動上に物理結界を一瞬だけ展開して移動を阻害したり、幻影結界を奴らの周囲に張ることで炎弾による攻撃をあらぬ方向へ誘導したりする。


エルフたちは、いつものようにウォルナットやローレルを中心に纏まっている。

狂戦士たちを盾に使うよう、事前に指示していた通りに上手く立ち回っているのが確認できた。水魔法を中心に炎の魔人たちへ魔法を放ち、彼らの得意な矢に魔力を込めて放つ。それは間断ない攻撃の嵐であり、まるで地上から空へと逆向きに落ちる驟雨のようでもある。

そんなエルフたちの中で、一際異彩を放って活躍する者がいた。

『んあッ!?　長老交じってんぞ!?』

なぜか鬼のような形相で戦場を跳び回る長老の姿があった。

『おいおい、あんな激しい動きして大丈夫なのかよ!?』

俺と分霊は至極当然の心配をするが、

『だいじょぶ』

セフィは欠片も気にした様子はなかった。いや、むしろ、そこには絶対の信頼感さえあるように思えた。

『ちょーろーはじつは、セフィのつぎにつよい』

という言葉が、今度ばかりは真実なのだと理解する。

長老は炎の魔人の1体と最前列で相対しながら、降り注ぐ炎弾を意外にも軽やかな動きで回避する。同時、掲げた杖の先端から3メートルを超える巨大な水の槍を生み出して、炎の魔人へ発射。表面を蒸発させながらも、その大質量ゆえか止められることもなく、実体のない炎の魔人の胴体に突き刺さる。そして——、

「——爆ぜい」

長老がそう呟くと、水の槍は全質量を瞬時に気体へと昇華。炎の魔人の体を巻き込みながら爆発する。

体を構成する炎が散り散りになった魔人だが、しかし、致命傷には至らなかったらしい。炎自体は弱まり、体もどことなく小さくなっているような気もするが、それでも何事もなかったかのように炎の欠片たちが集まり、再生する。

『効カヌゾ、老イボレ』

炎の魔人が長老を睥睨しながら宣《のたま》った。

大して効いてはいないのだ。しかし、

『ちょーろーは、６００さい』

『はい？』

セフィはそれが絶対の信頼の証であるように、確信を込めて呟くのだ。

「ほおう？　効かぬか？　ならば、効くまで続けてみるとするかの？」

悠然とした態度で長老が言い返す。

そうして掲げた杖の先で、

「ウォーターランス、いっぱいじゃ」

宙に浮かぶ炎の魔人の頭上、その周囲を取り巻くように数十の水の槍が浮かんでいた。

何時の間にか、という次元ではない。まさにあっという間に水槍を生み出す手際は、神業とでも呼びたくなるほど高度な魔法行使技術だった。

『……ハ？　馬鹿ナ……』

どこか呆然と魔人が呟き、無数の槍がその身に降り注ぐ。

「爆ぜい」

冷然とした長老の声と共に、幾度もの爆発が立て続けに起きた。魔人の体が再生する度に、反撃の暇さえ与えず、次々と次々と水の槍が貫き続ける。

『つ、強ぇえ……』

長老ってば、こんなに強かったのか？

しかしまあ、考えてみればそれも当然なのかもしれない。肉体の能力は老化によって衰えるが、魔法の技術はそうではない。むしろ経験を積み重ねるごとに強さを増していくものだ。それがエルフという魔法に優れた種族で、かつ６００年という長い時を生きた人物ともなれば、強くないわけがなかった。

『馬鹿ナッ！　馬鹿ナァアアアアッ!?』

炎の魔人は降り注ぐ水の槍に封殺され、何も出来ずに消えていった——。

「奴らを地に叩き落とせッ！」

「「応ッ!!」」

ヴォルフたち狼人族の武器はミストルティンだ。炎の魔人を相手にしては相性が悪い。直接斬りかかるのは出来れば避けたいし、エルフたちのように遠距離攻撃の手段は少ない。一部の者たちが弓を使ってはいるものの、大きな戦果はあげていない。

だが、彼らには彼らの戦い方がある。

その高い身体能力を活かし、戦場を縦横無尽に動き回る。魔人の攻撃を素早い動きで回避しながら、ミストルティンをそれぞれに振るう。込められる力は魔力ではなく闘気。闘気によって形成された刃や矢は、実体を持たない炎の魔人にも一定の効果がある。

『鬱陶シイ犬コロドモガッ!!』

狼人族たちの動きを捉えきれず、焦《じ》れた魔人が全身から爆発のごとき炎を四方へ放った。

狼人族たちは素早く退避し、共に戦っていた狂戦士ゴーレムたちを盾にする。そうして炎をやり過ごした後には、ゴーレムを足場に高く高く跳躍し、

「おおおうッ!!」

闘気を込めたミストルティンを叩き込む。

ミストルティンが如何に木製の武器とはいえ、闘気を込めれば瞬時に燃えるということはない。

彼らは狂戦士ゴーレムたちを遠慮なく使いながら、着実に魔人へダメージを蓄積していく。


「ふんっ、大地の怒りじゃい！」

「ふんっ、酒の恨みじゃい！」

「ふんっ、ゴーレムの扱いは儂らが本家本元じゃぞ！」

意外にも善戦しているのはドワーフたちだった。

土魔法に優れた適性を見せるドワーフたちは、火属性である炎の魔人たちに対して相性が良かった。岩は燃えない。魔人たちの炎も岩を溶解させるほどの圧倒的な熱量はないようだった。

ドワーフたちが魔力を込めた鎚で地面を叩く度に、地面が盛り上がり岩と化して盾となる。その盾の後ろで炎の攻撃をやり過ごしながら、土魔法で地面を盛り上げる。それを足場に狂戦士ゴーレムや斧を持ったドワーフたちが炎の魔人に攻撃を仕掛ける。

かと思えば後方では別のドワーフたちが土を操り、土で出来た人形――ゴーレムを生み出す。さらに岩の玉を作り出し、それをゴーレムたちに投擲させる。

「ぬぅううううんッ！　今こそ！　儂らドワーフの！　真の力を見せてやるッ！」

戦闘が始まってからずっと地面に魔力を流し続けていたゴルド老が叫ぶ。その前方で地面が大きく盛り上がり、体高7～8メートルはあろうかという巨大なゴーレムが立ち上がる。

「行けぃッ！　決戦用超巨大ゴーレム、ゴルドキングよ！」

ゴルドキングはその巨大な手を伸ばし、ドワーフや狂戦士ゴーレムたちの攻勢によって空中に釘付けにされた魔人を、むんずと掴んだ。

ゴーレムの全身に満ちる魔力が魔人の体に干渉しているのか、その手の中から逃げ出すことはできないようだ。

『フ、フザケルナッ！　コンナ、マヌケナモノデェッ!?』

「ゴルドキングよ！　必殺！　ゴルドパンチじゃ!!」

ゴルドキングは握り締めた魔人ごと、地面にその拳を叩きつける！

ゴルドキングは握り締めた魔人ごと、自らの硬い胸に拳を叩きつける！

「ゴルドドラミングじゃ！」

「ゴルドチョップ！　ゴルドエルボー！　ゴルドムーンサルトキック！　ゴルドネリチャギ！　ゴルドジャーマンスープレックスじゃあああああッ!!」

ゴルドキングが宙に放り出した魔人が逃げるより先に、幾つもの必殺技を流れるように繋いでいく。それはハメ技ともいうべきコンボだった。そして最後に、

「これで仕舞いじゃ。超必殺——ゴルド雑巾絞り」

巨大な両手で炎の魔人を握ったゴルドキングが、まるで雑巾を絞るように両手を捻る。

『ヤッ、ヤメロォオオオッッ!?』

積み重なるダメージが限界を超えたのか、炎の魔人は無数の火の粉と化して飛び散り、もはや再生することはなかった。


『下郎どもがッ！　偉大なる森神と我らが主上に楯突いたことを後悔しながら、死ねいッ!!』

『チィイイイッ!!　ナンダコイツハッ!?』

圧倒的なゴルドキングの戦闘力だったが、我らがプラントゴーレム筆頭であるグラムは、さらに圧倒的だった。

大多数で囲み、雨霰《あめあられ》と四方八方から攻撃することで何とか拮抗している者たちを他所に、グラムは狂戦士ゴーレムの力も借りずにほぼ一人で1体の炎の魔人を受け持っている。

目にも止まらぬ速さで両手の大剣を振るい、炎の魔人を滅多打ちにしていく。一応は木製である二本の大剣は、振るわれる速さゆえなのか、まったく燃える様子もない。それどころか魔人の体を通り過ぎる度に、グラムの大剣の表面に刻まれた紅い紋様《もんよう》が、あるいは全身を彩る紋様が、赤々と深紅の輝きを増していく。

グラムのスキル『血ヲ浴ビル英雄』に内包される効果は、俺の『エナジードレイン』を遥かに上回るエネルギー吸収能力を持つ。与えたダメージは即座にグラムの【生命力】や【魔力】に転換され、

『クッ、クソッ！』

それは攻撃に転用される。

『愚か者が』

苦し紛れに上空へ逃げる炎の魔人を追うこともなく、グラムはその場にて左右の剣を素早く振るう。

虚空に描かれた無数の斬線は紅い光の刃と化して飛翔する。その速度はまさに閃光に等しく、魔人が回避動作をとる前に着弾していく。

『グアアアアアッ!!』

紅刃《こうじん》に斬り刻まれた魔人は力を失い落下して、

『これで終わりだ』

跳躍して間合いを詰めたグラムが、一層の輝きを宿した両の大剣を、大上段から振り抜いた。

二条の紅い剣線が空間に刻まれたかのように鮮烈な残像を残す。

『——ドラゴン・クロウ』

魔人は抗うこともできず、その体を爆炎と共に四散させた。

『ふおーっ！　グラムのひっさつわざ！　かっこいい！』

『必殺技とかあったんだ、あいつ……』

セフィが興奮しながら歓声をあげ、俺はグラムの予想以上の強さに呆れるしかなかった。

「少々穢《けが》れていますが、貴方の魂、我らが英霊の館に招くに値しますね」

「貴方の魂、美味しそう」

　圧倒的と言えば、こちらも圧倒的だ。

　教国の騎士どもに同情などしたくはないのだが、思わず同情したくなるほどには。

　炎の魔人が狂乱に陥ったように、技も何もなく槍を振り回し、自らの周囲を飛び回る戦乙女たちを牽制する。その左腕は肩口から消滅しており、再生する兆しも見えない。

『ヤメロッ！　寄ルナ！　近寄ルナァアアッ!!』

　ブリュンヒルドとエイルが持つスキル『英霊ヲ狩ル者』は、複数の能力を内包したスキルだ。その能力で空を自在に飛翔し、武器の形を今は長槍へと変化させ、二人の戦乙女はいたぶるように魔人を追い詰めていた。

　しかし、特筆すべきはこの二つの能力ではない。

　他にも致命傷を与える能力だったり、殺した相手の魂を保管する能力があるのだが、これらの能力の本質的な力は、相手の魂や霊体といったものに干渉する能力だ。

　この能力が、実体を持たない炎の魔人にとっては致命的に相性が悪いものだった。

　肉体ではなく魂を直接攻撃することで、再生不可能な一撃となるらしい。

「あらあら、もっと優雅に飛べないのですか？」

「翼が傷ついた鳥がジタバタしてるのに似てる」

　おまけに空を飛ぶという行為に関して、おそらくは背中の翼から噴射される炎で飛翔している魔人と、翼など関係なく自由自在に空中を動けるヴァルキリーたちでは、機動力という点で雲泥の差があった。

魔人の攻撃を悠然と回避し、長槍で一方的に攻撃を叩き込んでいく。

腕を切り落とし、足を切り落とし、炎の翼を根本から切り離す。そして——、

「強い戦士を狩ると、達成感が違いますわ！」

「ヴァルキリー冥利《みょうり》に尽きるかも」

落下する魔人の胸と腹を二本の長槍が貫き、空中に縫い止めるように持ち上げた動きが止《とど》めになった。

まるで自らの獲物を自慢するかのように、あるいは宝物を眺めるかのように、うっとりと艶然《えんぜん》とした笑みで槍の先を見上げるブリュンヒルドとエイルの前で、

『ア、アア、アアアアア……』

炎の魔人は溶けるように幾千の火の粉と化して消えていった。

『ひえっ……』

『ふたりとも、すごぉーい！』


狂戦士に三つの種族を併せて、俺たちの勢力は６００にも届こうかという数だ。

しかし、宙を自在に舞う魔人たちを前にしては、まともに戦うことすら難しい。それでも圧倒的多数が矢で射り、魔法を飛ばせば、魔人たちを宙に釘付けにすることはできた。一部の戦場ではむ

しろ優位に立ち、すでに魔人を倒している者もいる。

だが全体として見れば、やはり空を飛ぶ相手というのは戦い難い。

俺がウォーターカッター用の砲塔を再生させ、魔人たちを叩き落とすという手もあるが――この乱戦状態では味方に当たる可能性もある。

魔人たちが自由に空を飛べないようにするためには――。


『来たぞ』

分霊が告げた。

俺も気づいている。

ヴァラス大樹海の上、青い空を黒に染めるような何かの大群が、こちらへ向かって飛翔して来ていたのを。

それは一直線にこの場の上空へ辿り着くと、特徴的な羽音を響かせながら壊れた鳥籠の中に飛び込んで来た。あまりの数の多さに、日が遮られて頭上が翳《かげ》る。

それはここまで旅してくる途中、幾度も襲われた巨大昆虫の魔物たちだ。

カブトムシにトンボに蜂に、数えるのも馬鹿らしいほど多種多様な魔物たちが上空を旋回している。

もちろん、敵ではない。

その証拠に、数多の虫の軍勢は宙を舞う炎の魔人たちへ向かって殺到し始めた。

『ナンダッ!?　コノムシドモハッ!!』

魔人たちは炎の刃を、炎の弾丸を放って虫たちを追い払おうとする。しかし、その程度の攻撃では大量の虫たちに対しては焼け石に水だ。すぐに魔人たちは大量の虫たちに集られ、あたかも黒い繭に包まれたかのようになる。

『アアアアアアッ！　邪魔ダァアアアアッ!!』

だが、叫びと共に魔人は全身から爆発の如く炎を放った。

業火に焼かれた虫たちが火だるまになり、バタバタと地上へ落下していく。

『ハァ、ハァ……無駄ナ真似ヲ……ッ!?』

しかし、それでもなお、燃やされた虫たちは全体の極一部に過ぎない。

何事もなかったかのように、再び炎の魔人たちに集っていく。


『遅いぞエムブラッ！』

新たな炎の魔人と斬り結んでいたグラムが、カブトムシの上に乗った優男——ドライアド・ドルイドたるエムブラを一喝する。

対するエムブラはいつもの優しげな笑みを疲労に翳らせて答えた。

「無茶言わないでよグラム。ベルソルに手伝って貰ったとはいえ、これほど集めるのにどれだけ苦労したと……」

「まったく大変でしたわ……」

エムブラと同じく疲れたように呟くのは、同じく別のカブトムシの上に乗ったベルソルだ。

俺は二人に、大量の飛行型魔物を支配下に置き、ここまで連れて来てくれるよう、念話で頼んでいたのだ。魔物を支配下に置くのはエムブラの能力だが、これだけの数を集めるとなると彼一人では到底不可能だ。

そこで魔物を眠らせることのできるベルソルを始め、12体のゴー君部隊を引き連れて、急いで魔物を集めてもらっていた、というわけだった。

『エムブラ、ベルソル、すまん！　助かった！』

『みんな、ありがと！』

俺は必死で魔物を集めてくれたエムブラたちを労う。

その言葉にエムブラとベルソルは笑みを浮かべた。

「いえいえ、お役に立てたようで幸いです」

「姫様と主様のためとあれば、これくらい何でもありませんわ」

などと言ってくれる気の善い彼らに、しかし俺は更なる仕事を押しつけねばならない。

『戻ってきて早々悪いんだが、下の援護を頼む！』

次々に襲ってくる虫たちを嫌ってか、炎の魔人たちは俺たちの狙い通り、地面に降りて戦い始めた。

とはいえ、まだまだ油断はできない。

狂戦士ゴーレムたちは既に１００体近くは破壊されているし、負傷して戦線を離脱した者たちも

増えて来た。深傷《ふかで》を負った者たちは順次根を操り地下に退避させて治療しているが、戦線に復帰するのは無理だ。

グラムや長老たちを筆頭に善戦している者たちもいるが、戦線が縮小するにつれ、全体としては僅かに押され気味になっている。

その理由というのも、一人だけ角の生えた指揮官級の魔人のせいだ。

狂戦士ゴーレムを前面に押し出して被害は抑えているものの、時間稼ぎにしかなっていない。生半可な実力では無駄に死なせてしまうため、安易に戦力を振り向けることもできなかったのだ。

エムブラたちに奴を抑えてもらうか？　……いや、それよりも、

『角野郎は最後だ！　エムブラたちは別の奴を倒してくれ！』

奴を抑えるだけなら、まだ狂戦士ゴーレムで大丈夫だ。俺もセフィも根を操り攻撃したり、攻撃魔法を矢継ぎ早に撃って援護している。それでも狂戦士たちの数はどんどん減って行くが、まだ時間を稼ぐだけなら可能だ。

ならば被害を最小限にするためにも、戦力を分散して当たるのは不味い気がする。倒すなら全員で奴を倒しに行った方が良い。

「あれは……なるほど、休んでいる暇はなさそうですね」

と、エムブラが角魔人を一瞥《いちべつ》して頷き、

「すぐに終わらせて、助けに参りますわ！　行きますわよ、エムブラ！」

ベルソルがキリリと顔を引き締めて、虫の上から飛び降りた。

「うん、了解」

それを追ってエムブラも下へ飛び降りる。

二人が向かうのは、まだ倒されていない炎の魔人たちだ。

同じく虫に乗って戻ってきていた12体のゴー君部隊も、エムブラたちの後に続いた。


「とはいえ僕とベルソルじゃあ、グラムみたいに一方的には倒せないよね」

エムブラが隣を走るベルソルに言う。

「わたくしも貴方も攻撃は得意じゃありませんものね。というかそもそも、炎で出来たような相手なんて相性が悪すぎますわ」

エムブラに同意するベルソルだったが、その表情に気後れした様子はない。

「ですから、わたくしたちは二人でかかりますわよ」

「わかったよ」

「じゃあ、さっさと行ってくださいまし」

「はいはい、仰せの通りに」

二人はまさに以心伝心といった感じでそんなふうに語り合うと、作戦会議もなしに行動に移った。

というか、気の強い姉に従う弟、みたいな印象を受けるのは俺だけだろうか？

「まずは……！」

ともかく、最初に動いたのはエムブラ――いや、正確に言えばエムブラが支配する虫たちだ。

エムブラは虫たちを操ると炎の魔人の1体に次々と特攻させる。

『……ッ！　鬱陶シイ！　時間稼ギニシカナラナイノガ分カランノカッ!!』

しかし、当然のように虫たちが魔人にダメージを与えることはできない。

炎の体に触れるだけで、あるいは魔人がその場で回転し、全方位に撒き散らした炎の羽根に触れる度に、巨大な虫たちは次々と炎上していく。

魔人の言葉通りに時間稼ぎにしかなっていない。だが――、

「時間稼ぎができれば十分だよ」

巨大な虫たちが魔人の注意を引きつけ、その巨体でもって視界を遮る。数多蠢く虫たちが炎の魔人たちを地上に落とした現在、空から俯瞰するのと違って、奴の視界はかなりの制限を受けている。

だから気づいていなかった。

ベルソルがちらり、と広大な戦場の外周に突き立つ、巨大な鳥籠の残骸を見て呟く。

「主様ほどに大規模には無理ですけれど」

そんな彼女の下半身、スカートの中身がぞわりと蠢く。

次の瞬間、スカートの裾から溢れ出したのは太く長く強靭な、無数の茨だ。

波濤のごとく溢れ出した茨たちが地面を滑り、炎の魔人を囲むように広がる。そして次の瞬間――、

「これでッ、お眠りなさいな！」

地面に広がった茨が波立つように起き上がったかと思うと、まるで手品でも見ているかのように

鮮やかに、格子状に「組み上がって」いく。

わずか数秒の内に現れたのは、茨の格子で構成された、半球状のドームだ。その中に翼持つ炎の魔人が囚われている様子は、まさに鳥籠そのものだった。

『おいおい、まさか——』

ここまで来れば、嫌でも分かろうというものだ。

確かに俺が作った物よりは、遥かに規模は小さいが、それでも一人でこれだけの物を作れるなんて驚きだ。

『コンナモノ、スグニ——ッ!?』

俺が作った無魔素結界を思い出したのか、すぐに茨の鳥籠を壊そうと動き出した魔人だったが、炎の槍を振るおうとした腕が——いや、全身の動きが止まる。

ベルソルの鳥籠は、俺の無魔素結界を完璧に再現した物ではなかった。かといって、その性能が劣っているというわけでもない。彼女のそれは、まったくオリジナルの結界だ。

鳥籠の内部にある魔素が瞬く間に吸い尽くされる。無魔素状態に陥り、炎の魔人の2対4枚の翼が、1対2枚へと減じた。だが、鳥籠の内部が魔素——というよりは、魔力のない状態になったわけではない。当然だ。ベルソルの鳥籠は魔法結界で覆われていないのだから、外部からの魔素の流入を防げない。

だが、そんな事実に反して魔素が新たに流入して来ることはなかったのだ。

『そうきたか……！』

俺はベルソルの結界が、どのように無魔素状態を作り出したのかを知って、思わず脱帽した。

赤い赤い薔薇の花が、茨のあちらこちらで咲き誇っていた。その花はすべて、鳥籠の内部を向いている。

『グッ、ア……』

眠りの香り。あるいは眠りの魔力とでも呼ぶべきだろう。

薔薇の花が発する、強制的に眠りへと誘う魔力の香りが、鳥籠の内部に高濃度で充満しているのだ。

奴らが持つルーン文字が刻まれた装備では、大気中の魔素を吸収することはできても、すでに他者によって支配され、操られている魔力を吸収することはできない。ならばベルソルの魔力で満たされた空間は、無魔素結界と同様の働きを見せるはずだ。おまけに鳥籠の内部を眠りの魔力で満たしたことで、魔法結界も無しに外部からの魔素流入も防いでいる。

そうして弱体化させたところに、高濃度の眠りの魔力が襲いかかる。いかに炎の魔人とはいえ、これはかなり効いているようだ。いまや、奴は前後不覚に陥ったようにふらふらと体を揺らし、地面に突き立てた槍を支えに何とか立っているだけの状態。

しかし……、

『決め手に欠けるな……』

戦闘行動を取れずとも、魔人の体を構成するのは魔法の紫炎だ。植物の精霊であるエムブラやベルソルは元より、虫たちだって触れただけで炎上するような相手。

奴を倒せるだけの攻撃手段が、エムブラたちにはない。

『良し、なら、俺がウォーターカッターで倒すか』

動かない敵であれば、味方を巻き込む恐れもないだろう。

ここは俺が「砲塔」を作り出して、あの魔人を倒せば良いだろう――と、そんなふうに考えたところで、

『ユグ、だいじょぶ。エムブラ……やりおる……！』

セフィが戦慄と共に、そんなことを言った。

見れば、エムブラは鳥籠に囚われた炎の魔人を尻目に、自身の傍らに着地させた巨大カブトムシへと、次々に林檎を与えていた。

右手を一本の蔦へと変化させ、その先に補助魔法を込めた林檎を生み出しては巨大カブトムシに食べさせていく。

身体能力強化の魔法が込められた林檎。

魔力強化の魔法が込められた林檎。

誘惑効果のように、食べた者の精神に作用する「狂化」が込められた林檎。

常に傷を癒す持続回復魔法が込められた林檎。

炎に耐性をもたらす水魔法が込められた林檎。

水属性のエンチャントを与える魔法が込められた林檎――。

ありとあらゆる、考え得る限りの補助魔法を込めた林檎を食べさせていく。

エムブラに直接的な攻撃手段は乏しい。彼は味方の回復や補助魔法などに特化した存在だ。しかし、補助魔法の多彩さは、いまや俺以上であろう。それに加えて、補助魔法というのは掛ける相手に直接触れている方が、強い効果を発揮する。大気中の魔素や、対象の魔力などが補助魔法を減衰してしまうからだ。

ならば、それら一切の減衰を起こさない方法とは？

決まってる。相手の体内から魔法を作用させてやれば良い。

「ベルソル！　籠を開けてくれ！」

「きちんと一撃で決めるのですわよ！」

「それは彼に言ってくれ！」

ベルソルが鳥籠の一部を解く。

大きく開かれた茨の格子から、高濃度の眠りの魔力が周囲へ拡散していく。

次の瞬間、その奥にいる炎の魔人へと、巨大なカブトムシが羽を展開し、飛翔した。

まるで黒い颶風のような勢いで、残像だけが視界に焼きつくような速さ。

巨大な重量を突進の勢いと共に、黒光りする硬質な角の先端へ集束させた一撃は、もはやただの物理攻撃ではない。エンチャントされた水属性の魔力を帯びるそれは、実体のない炎の魔人をも穿つ魔力攻撃だ。

『ウ、ボオオオアアアアアアッッ!?』

胴体の大半を消し飛ばされ、衝突の余波で体が無数の火の粉となって四散する。辛うじて形を保っていた頭部がくるくると宙を舞いながら断末魔の叫びをあげ――消えた。

『エムブラ……や、やりおる』

敵を倒せるようになるまで配下を強化するという、脳筋……いや、無茶苦茶なやりように、俺は戦慄と共に呟いた。

『ゴーくんたちも、つよいよ！』

爆散した炎の魔人を見つめていた俺は、セフィの声に別の場所へ視線を向けた。

そこでは12体のゴー君部隊が、堅実な戦い振りを披露している。

いまだ進化前のゴー君たちは、グラムたちとは比べるまでもなく弱い。だが、さすがに12体も集まれば大抵の敵には対応できるほどの戦力だ。

何より彼らは、連携が凄まじい。

生み出した当初から他のゴー君たちと常に一緒に行動させていたからか、彼らの連携はベルソルとエムブラ以上だ。

蔦型ゴー君たちが補助に徹し、身体能力の増強、逐次回復、それから水属性付与のエンチャントによって魔人の炎でも簡単には発火しないようにしている。

そうしながら茨型のゴー君たちが魔人の全方位を囲み、その行動を制限しつつ、適度に攻撃を加えることで魔人の注意を引く。

『エエイッ！　下等ナ魔物風情ガッ！』

これも連携の賜物だろう。四方八方から次々と防御をすり抜けて届く茨型ゴー君たちの攻撃は、ダメージこそ大したことがないものの、魔人に怒りを蓄積させていく。どんな戦巧者だろうが、常に背後から頭を小突かれるような状況では、怒りで冷静さを失おうというものだ。

そして——、

『グガァアアアアッ!!』

魔人が怒り心頭に発した頃に、機を窺っていた近接系ゴー君たちが一斉に動き出す。

自身の周囲で鬱陶しく動き回る茨を吹き飛ばすべく、炎の羽根による全方位攻撃を放ち、大きな隙が出来た瞬間、魔人の前後左右から飛び出した４体のゴー君たちが木剣ミストルティンによる渾身の一撃を叩き込むのだ。

爆発し、爆ぜるような大音。

ほぼ同時に振り抜かれた剣により、魔人の体が千々に吹き飛ぶ。

だが、この一撃で倒されるほどのダメージではないようだ。すぐに火の粉が集まり、魔人の体が再生される。それでも——、

『ゴー君たちは大丈夫そうだな』

『うん！』

破れかぶれに放たれた炎の羽根による攻撃も、蔦型ゴー君のエンチャントによってダメージを減少させられ、受けたダメージもすぐに回復魔法によって癒される。

ゴー君部隊の攻防は非常に安定しており、決着は時間の問題でしかなかった。

第五十七話　神剣ダーインスレイヴ

戦闘開始から1時間は経っていないだろう。

それでも体感的には何十時間にも渡るような密度の濃い戦闘だった。圧倒的な物量で息も吐かせぬ攻勢を一方的に強いることにより、本来なら遥か格上であるはずの炎の魔人たちを次々に下すことに成功している。

今では14人いた騎士たちも、残り一人のみ。

13人の騎士を倒しているが、素直には喜べない。こちら側の被害はそれ以上に甚大だからだ。

炎の魔人たちに対し、盾のように使い潰していた狂戦士ゴーレムたちも、既にその数は50体を切っている。エムブラたちが集めて来てくれた大量の虫たちも、魔人たちの攻撃の余波を受けて、元の2割ほどまでに減っているし、エルフや狼人族、ドワーフたちの被害も馬鹿にならない。できるだけ狂戦士たちを矢面に立たせて被害を軽減し、負傷した者たちは地下へ回収して治癒を施していたが、助けられなかった者たちも時を追うごとに増えて来ている。さすがに回収するより前に致命傷を負わせられては、助けることは不可能だ。

仲間たちの死に、精神力がゴリゴリと削られていく。

『いい加減……倒れやがれッ!!』

密度の少なくなった戦場に、俺はウォーターカッター用の砲塔を生み出して、角炎の魔人に超高圧の水流を発射する。

『フンッ！』

だが、奴は回避するでもなく左手で受け止め、自身の熱で全ての水を蒸発させる。

俺の攻撃は牽制にしかなっておらず、その隙にグラムが気刃を飛ばし、長老が水槍を数多と降らせ、ブリュンヒルドたち姉妹が左右から同時に斬りかかるも、

『ヌルイッ！』

長槍の一閃、翼の羽ばたき、呼吸するように容易く生み出される炎弾の嵐によって、難なく対応されてしまう。

『馬鹿な……我らが一斉にかかって倒せないとは』

グラムが油断なく大剣を構えながらも、愕然とした調子で呟く。

「ふぅむ……ここまでの力は無かったはずじゃがのぅ」

そろそろ魔力が枯渇して来たのか、肩で息をしながら長老が魔人を睨みつける。

「最初からこの強さだったのなら、すでに私たちの方がやられていてもおかしくないはずですが……？」

「遊んでたってわけでも、なさそうだよ？」

ブリュンヒルドとエイルが長老の言葉に続ける。

こいつが――残った最後の一人が、嫌になるくらい強敵だった。

戦闘が始まった頃は、ここまで強敵ではなかったはずだ。グラムや長老、ブリュンヒルドなど、ほぼ一人で炎の魔人を倒せる者たち複数を相手に、互角以上に戦えるほど強くはなかったはずである。あれほど圧倒的な力を誇った巨大ゴーレム、ゴルドキングも、すでに奴が放った爆炎によって粉々に破壊されてしまっていた。

今のこいつは他の魔人たちに比べて、次元の違う強さだ。

『くそっ！　何だって強くなってんだよ、コイツは!?』

戦闘中に、明らかに強くなっているのだ。

戦いの中で成長しているとか、そんな胸熱な理由ではないはずだ。そもそも振るう力そのものが、不自然に増大しているような印象。

その証拠とでも言うように、２対４枚だった奴の翼は、今では３対６枚の翼に変わっている。

『不思議ソウダナ……？』

俺の声を聞いていたわけではあるまいが、角炎の魔人が言う。

傲然《ごうぜん》と宙から見下ろしながら、奴は答えを告げる。

『冥土ノ土産ダ。教エテヤロウ、私ノ強サガ増シタ理由ヲ』

『死ンダ騎士タチノ魂ハ、死シテ尚、私ヲ助ケルノダ。彼ラノ魂ガ、私ヲ強クスルノダ』

精神論、ではないだろう。

倒した騎士たちの力が、角炎の魔人に吸収され集約されたのだ。

奴らの持つ武器に刻まれたルーンにそんな効果があったのか、あるいは奴ら自身が持つ力なのか。

細かいことはどうでもいい。取り巻きを倒したらボスが強化された——という結果だけが、判明している唯一の事実だ。

『ツマリ……私ノ部下タチガ、貴様ラヲ屠フルノダト知レッ!!』

それは、倒された部下たちが決して弱かったわけではないという、奴の想いなのか。

俺たちに部下が侮られることを許せないから、わざわざ自身が強化された理由を俺たちに教えたのか。

そんな如何にも部下想いなセリフを吐く奴が、なぜエルフや狼人族を迫害し虐殺する教国の手先となっているのか。その部下たちに容易く命を差し出させるような命令を、なぜしたのか。

奴にだって感情がないはずがない。

そこには何か理由が、あるいは葛藤があったはずだ。

もしかしたら、別の場所できちんと向き合い話し合えば、分かり合うこともできたのかもしれない。奴が見せた感情の一端に触れて、俺はそんな気がした。

だが、事ここに至って、そんな未来は永遠に来ない。

俺の中に眠る、由来も定かではない記憶が教えてくれるのだ。

人間とは不便で、個々人に争う理由などなくとも、時に所属する勢力や立場によって意見を違え、殺し合うこともあるのだと。

そして一度殺し合えば、そこに生まれた憎しみを消すことは果てしなく困難なのだと。

『ソロソロ終ワリニシヨウ』

奴が炎の槍を大仰に振りかぶる。

その槍身に膨大な力が集束していく。

『セフィ！』

『うん！』

明らかなる大技の前兆を前にして、俺は狂戦士ゴーレムたちを前に出し、セフィが物理と魔法の結界を展開した。

『――ストーム・オブ・ファイア・メイカー』

静かな呟きと共に振るわれたのは、横一線の大振り。

閃光のような一振り。

俺が捉えられたのは、奴が槍を振り切った後の姿だけだった。

その直後、あるいは同時、津波のような、衝撃のような、炎の嵐が吹き荒《すさ》ぶ。

極高温の炎はセフィの多重結界を打ち破り、狂戦士たちを容易く燃える薪と化し、その背後にいるグラムたちへと到達し――、

『チィイイッ、ドラゴン・クロウ!!』

グラムが赤き気刃で相殺を目論み、

「ウォーター・シールド！」

長老が巨大な水の壁を一瞬で生成する。

「「水よ！」」

「「風よ！」」

エルフたちがそれぞれの属性魔法を放ち、狼人族たちもミストルティンに設定されたキーワードで魔法を放った。

それぞれが攻撃を相殺、あるいは防御するために動く。

しかしその全てを容易く呑み込んで、炎の風は吹き抜ける。

奴は円を描くように槍を一周させていたのか、炎は奴を中心とした全周囲へ吹き荒れていた。

後に残ったのは多くの者たちが吹き飛び、倒れ伏す光景。

どれだけの被害となったのか、一瞬では把握できない。

『クッ、これほどの化け物か……』

ほぼ最前列にいたグラムは膝をつき、角炎の魔人を見上げている。その左腕は燃え尽きたのか、あるいは今の攻撃によって吹き飛んだのか、失われていた。

対する角炎の魔人は、今度は槍を高々と掲げ、その空中に数百数千にも及ぶような、夥《おびただ》しい数の炎弾を生み出していた。

『――ミーティア・オブ・ファイア――』

奴が容赦ない追撃の構えを見せて、瞬間、我慢の限界に達したセフィが叫ぶ。

『ユグ！　つかうよ！』

『――ッ、仕方ねぇ！』

戦闘の最中も、俺たちは何とか勝利するための方法を考えていた。

そのための方法。ぶっつけ本番の最終手段。

本当はまだ、ここで使うわけにはいかないはずだったが——そうしなければ敗北が確定してしまう。

『メイ——』

セフィと俺が最後の切り札を切ろうとした、その瞬間。

二つのことが同時に起きた。

「——ダーク・バインド！」

一つはそんな声と共に、虚空から飛び出した黒い鎖が魔人の体に巻きついて、その動きを拘束した。

二つ目は、

「——啜《すす》れッ、ダーインスレイヴ！」

叫ぶような声の発生源は上。

しかし、視線を向けるまでもなく、声の主は自ら降って来た。

その直前に、俺の体の一部に軽い衝撃を知覚している。場所は畑の周囲に立つ鳥籠の残骸、塔のように突き立つ一本の根の先端だ。

追い詰められていて気づいていなかったが、どうやら声の主は何時の間にかそんなところへ登っていたらしい。彼はそこを足場に地上へ向かって跳躍。

跳躍を加速力に変えたのか、単なる落下以上の速度で、声の主は降って来た。

まるで忽然《こつぜん》と現れたかのように、俺たちの視線の先に着地する。それに伴う巨大な衝撃音。彼は黒い剣身を持つ長剣を振り抜いた姿勢で、深く深く膝を曲げ、着地の衝撃を殺している。

『ガァアアアアアッ！！？』

角炎の魔人が絶叫し、発動途中だった炎弾が消える。

見れば、左側の翼２枚と左腕が斬り落とされていた。しかも斬られた腕も翼も、魔人の体から離れると淡い光の粒子と化して、降って来た彼の黒い剣に吸収されていく。

失われた腕と翼が再生する様子はない。

察するにブリュンヒルドたちのスキルと似たような効果があるようだが、角炎の魔人を相手にそれをするとは、明らかに性能が違う。おまけに何か吸収してるし。

「ふぅぅう……何とか、間に合ったか？」

深く息を吐き出しながら立ち上がった男は、黒い体毛を持つ狼人族だ。

その姿を見て、色んな者たちが声をあげる。

『ガー!?』

「お主、ガーランドか!?」

「ガーランドじゃと!?」

「「ガーランド！」」

セフィに長老にゴルド老、エルフたちに狼人族と、ずいぶん知り合いが多いようだ。

ガーランド。

その名前はセフィや長老などから、何度も聞いたことがある。エルフたちの都市であるアルヴヘイムが滅んだ時、セフィたちを教国の追っ手から守り、逃がすのに尽力してくれたという狼人族の戦士にして傭兵、だったはずだ。

「よう、ずいぶんと勢揃いじゃねぇか。む？　姫さんがいねぇな？」

彼は周囲をきょろきょろと見回し、誰か――というか、たぶんセフィを探しているようだ。

『セフィもいるよ！　ひさしぶり、ガー！』

「うお!?　念話？　どこからだ、姫さん？」

そんなガーランドにセフィが念話で話しかけるが、流石にその居場所は分からないようだ。

『いまユグとがったいしてる』

「はあ？　ユグ？　合体？」

『ガーはなんでここに？』

「そりゃあ、話すと長くなるんだが……」

「ガーランド、話は後にしたらどうだ？」

二人のとりとめもない会話を遮ったのは、何時の間にかガーランドの近くにいた一人のエルフだ。

銀髪で褐色の肌をした女性。俺の知ってるエルフじゃないが、凄まじく美形なのも、長い耳の形もエルフの特徴と合致する。

『誰だ？』

『しらないひと』

ゼフィに聞いてみるが、やはり知り合いのエルフというわけではなさそうだ。

長老たちも女性には不思議そうな視線を向けている。と――、

「――確かにそうだ、なッ！」

言いながら、ガーランドは飛来してきた炎の槍を、振り向き様の一閃で斬り散らす。

無造作に剣を振ったように見えて、剣を媒介に自らの魔力で炎の魔力に干渉し、魔法の構成を崩したのだ。それは狼人族らしからぬ優れた魔力と技量だった。

『貴様……ガーランド』

ガーランドに炎を放った魔人は、苦しげに地面に着地しながらも、憎々しげに言う。

既に黒い鎖の拘束は自力で解いたようだ。

『マサカ、ココデ貴様ガ来ルトハナ……何処マデモ我ガ国ノ邪魔ヲシテクレル……』

「へっ、そりゃこっちのセリフだ。こんなところまで出向いて来るたぁ、暇な野郎どもが……」

からかうように言いつつ、次の瞬間、ガーランドは表情を一変。牙を剥き出しにして怒りを顕《あらわ》にする。

「よくも俺の同胞たちを大勢殺してくれたな……てめぇの命で償わせてやるッ！」

『ソレハコチラモ同ジコトダ。オ前ガ誰モ殺シテイナイトデモ？』

相対する二人は、もはや互いしか目に入らないかのように、それぞれが剣と槍を構えて集中している。

張りつめた空気の中では、援護しようにも下手な手出しをするのを躊躇《ためら》わせる何かがある。

『大丈夫なのか……？』

ガーランドが実力者だというのは聞いているし、さっきのを見て知っているが、一人で奴を相手にできるほどなのか。

手出しするべきかどうか迷う俺に、セフィは何処か安心したように呟くのだ。

『たぶん、だいじょぶ』

たぶんなんだ。

『ガーがもってるけんは、しんけん』

しんけん——恐らくは、神剣と言いたいのだろう。

とは言われても、いまいち凄さが分からない。

『神剣……？　どんな力があるんだ？』

『しんけんは、しんりきをつかえるけんのこと』

神力を使える剣。

『しんりきをすって、しんりきでこーげきするの』

神力、つまりは使用者の【神性値】を吸収し、それを攻撃に用いる武器であるらしい。

言葉にすれば単純なその能力が、まさに神剣という名称に相応しいものだと、俺は知ることになる。何しろ【神性値】は【魔力】のように自由に使える力ではない。特別なスキルや進化という現象において、自動的に消費されることはあれど、自らの意思で使用することなど、普通はできないのだ。

「俺を喰らい糧にしろ、ダーインスレイヴ」

ガーランドが呟く。

彼の構える神剣が、赤黒いオーラを纏い始める。

その色が鮮烈になるほど、ガーランドは苦しげに呻き、顔を歪ませる。明らかに使用者の何かを消耗しているような、あるいは言葉通りに「喰らって」いるような、不吉な光景。

対する角炎の魔人も、まるでこれが最後の攻撃になると決意したかのように、片腕で長槍を引き、腰を落として構える。

『――ファイア・オブ・ファイア・メイカー』

構えた槍の切っ先に、白く白く白く、煌々と輝く炎が灯る。

それは炎神が鳥籠の上部を一瞬で灰にした時の神炎に似ていた。周囲に放射されるあまりの熱量に、ガーランド以外の者たちが慌てて退避する。

距離を取った外野の者たちで、あたかも円形の闘技場のごとく空間が生まれ、その中央で対峙《たいじ》した二人の殺意を込めた視線が絡み合い――、

「――」

『――』

声もなく、二人が同時に動いた。

消えるような踏み込み。速度はほぼ同等だったらしい。赤黒く輝く刃と、白く輝く長槍が円形の

中心で激突する。

『マア、コンナモノカ……』

炎は吹き荒れなかった。

神炎を宿す槍が突き出された瞬間、逆袈裟《ぎやくけさ》に斬り上げられたガーランドの持つ神剣ダーインスレイヴの禍々しいオーラがぶわりと膨れ上がり、炎槍の何もかも全てを呑み込んだ後、神剣の刃が角炎の魔人を通り抜けた。

魔人の体には斬られた場所を中心に、侵食する亀裂のように黒い何かが広がりつつある。

間近で相対するガーランドに対しても、もはや追撃するような様子は見られない。

いや、槍を突き出した右腕の肘から先が赤黒いオーラに呑み込まれて消滅しており、追撃することができないのだ。

『私ノ最期ナド……』

それが奴の最期の言葉となった。

黒い亀裂が全身に広がり、やがて、ガラスが割れるような澄んだ音色を響かせて、粉々に砕け散る。角炎の魔人は幾千万の欠片と化して、溶けるように消えていった。

『勝った……』

『うん……』

俺とセフィは呟きつつも、その声に喜色はない。

予想外にも救援に駆けつけてくれたガーランドの尽力により、これで全ての葬炎騎士を倒したことになる。詳細な戦果を述べるならば、15頭のワイバーンと14人の葬炎騎士だ。

つまり、残るは後一人。

いや、一柱。

「ふぅむ……まさか、俺の眷属どもが全員やられるとはなぁ」

その声に緊迫感は微塵もない。

「結局、ディランなら全員殺っちまうと思ってたんだが、そこの犬ッコロの登場が想定外だったか」

むしろ、その声には予想を覆したこちらを称賛する調子さえある。

声の主の居場所は、上。

奴は騎士たちを神力で強化してからずっと、背中から紫炎の翼を生やして浮かび、悠然と眼下の戦闘を観戦していたのだ。

エムブラたちが集めて来た虫たちにも、奴には攻撃を加えないように指示していた。

奴が戦闘に参加してくるつもりだったならば、どうにかして対応するしかなかったが、ここまで余裕を見せて戦闘に加わることはなかったのだから――俺たちとしては放って置くしかなかった。

炎神と騎士たちを同時に相手にしていたならば、被害は今の比ではなかっただろう。

炎神ファイア・メイカー。

14人の騎士すべてを合わせたより、なお遥か強大な最悪の敵。

まだ奴が残っていた。

第五十八話　神の力

戦いが始まれば、必ずどちらかが滅ぶだろう。

今のところその可能性は、こちらの方が遥かに高い。

『――聞きたいことがある』

「あん？　誰だ？」

だから俺は、戦いを始める前に炎神に話しかける。

なぜ俺たちを殺そうとするのだ、とか、そんな分かりきった事を今さら問おうとは思わない。しかし、どうしても解せないことがあるのだ。

『何で騎士たちと一緒に戦わなかったんだ？』

炎神がそうしていれば、俺たちは確実に負けていたはずだった。

それはガーランドの助けを加味してもなお、確信するほどに絶望的な戦力差だった。

「ふぅん……お前、精霊樹か？」

炎神は質問には答えず、俺の声――正確には自分に向けて発された念話の魔力を捉えて推測したのか、俺の正体を看破する。

『そうだ』

「まさか精霊樹がいるとは、それも少し予想外だったぜ？　アルヴヘイムの精霊樹を接ぎ木でもしてたのか？」

炎神は首を傾げてみせながらも、大して興味はなかったらしい。「まあ、いいか」と、すぐにどうでも良さそうに首を振り、

「あー、何で一緒に戦わなかったか、だったな？」

俺の質問に戻る。

『そうだ』

「悩むこたぁねぇ。理由は簡単だぜ？」

瞬間。

『ユグ!!』

魔力ではない強大なエネルギー――神力の高まりを感じて、セフィが叫ぶ。

『地下に退避させる！』

大規模な攻撃の前兆に、俺は急いで地上にいる仲間たちを、根を操って半ば無理矢理に地下へと退避させた。

「「精霊様ッ!?」」

『主上ッ!?　我はまだ、戦えま――』

彼らを侮るわけではないが、炎神を前にしては一撃すら耐えるのは難しいだろう。

残したのはガーランドと褐色肌のエルフ、狂戦士ゴーレムにブリュンヒルド、エイルだけだ。ゴーレムは元より、ヴァルキリーたちは本体が俺と繋がっているから、化身を倒されたところで死ぬわけではない。

「すまん、精霊様！　こいつも避難させられるなら、避難させてやってくれ！」

エルフや狼人族たちが地面から生えてきた根っこによって、地下へと引き込まれていく光景を見ても、ガーランドは狼狽えず、すぐに俺が仲間たちを避難させていることを悟ったらしい。

彼の仲間らしき褐色エルフを指差し、叫ぶようにそう言った。

「ふんっ、私を侮るな――と、言いたいところだが、さすがにこれは無理だな。大人しく退散するとしよう」

褐色エルフの女性はそう頷くと、最後にガーランドに視線を向ける。

「死ぬなよ、ガーランド」

「へっ、任せとけ！　しぶとさだけは誰にも負けねぇぜ、俺は」

俺は褐色エルフを地下に引き込み、退避させた。

いよいよ閑散とした戦場の上空で、まるで小さな太陽のごとき光が浮かんでいる。

それは白い炎。

炎神の体を包み込むように現れたそれは、次の瞬間、弾けるように形を失った。

周囲へ放射される余波のごとき僅かな炎が、まだ１００匹以上は生き残っていた虫型の魔物たちを一斉に炎上させる。魔物たちは焚き火に突っ込んだ虫のように、激しく燃えながらバラバラと地上に落下していった。

炎の向こう側から現れた炎神は、その姿を一変させていた。

それはさながら、炎の魔神——とでも呼ぶべきか。

炎神の体は、いまや白い高温の炎だけで構成されている。その姿形はシルエットだけで判断するしかない。

基本は元の灰色髪の姿と同様、筋骨隆々とした大男だ。

だが、その背中からは4対8枚の翼が生え、腰の後ろからは爬虫類染みた、太い尻尾を生やしている。手足は人間のものよりも大きくゴツゴツとしていて、長く鋭い爪が生えている。頭部、こめかみからは二本の角が天を衝くように伸び、奴の全身には紫色のファイア・パターンが明滅していた。

神——というよりも、むしろ悪魔を連想させるような姿。

『たとえ俺の眷属でも、俺と一緒には戦えねぇ』

今までの炎の魔人たちと同じく、肉体が全て炎に置き換わっているのか、炎神は念話で声を放つ。

『俺の攻撃の余波だけでも、死んじまうからな』

言いながら、炎神は掲げた右手に炎を生み出す。

いや、それは炎と呼ぶよりも、ただただ白く煌々として、炎のような揺らめきもない光の球、のように見えた。

だが、光と共に周囲へ放射される熱量は、離れていてさえこちらを発火させそうなほどに熱い。

『それに、お前らごとき、俺が出たらすぐに終わっちまうだろ？』

炎神は傲然と述べ、その手に浮かべた光球を軽い動作と共に放り投げた。

放たれた光球が弾け、戦場全体に炎が広がる。地面を舐め、半球状に膨張し――、

『一撃で死んでくれるなよ？』

今なお墓標のように聳え立っていた鳥籠の残骸が、塔のごとき俺の根が、燃える間もなく灰と化した。


炎神が炎の光球を放つ、少し前。

俺が炎神に話しかけている間、俺の分霊とセフィ、ブリュンヒルドとエイル、ガーランドは出来るだけ魔力を隠蔽しながらも念話にて密かに会話していた。

炎神にバレないはずもないだろうが、奴は余裕をかましてこちらの会話を邪魔することはないだろうと踏んだ。どうやらその想像は当たったようで、奴はこちらの会話を気にする様子もない。

『すまんがガーランド、俺たちだけじゃ勝てるか微妙だ。もう少し力を貸してくれ』

『おう、そいつは構わねぇが……誰だ？』

俺の言葉にガーランドが疑問を返す。

彼が不思議がるのも無理はない。何しろ初対面だからな。

『俺はユグ。森の精霊ってところだ』

『ユグ……さっき姫さんが言っていた……。なるほどな、精霊様だったか』

『おう』

『ってぇと、こっちの綺麗な姉ちゃんたちも精霊様かい？』

『ブリュンヒルドですわ』

『エイル。よろしく』

　もっと親交を深めたいところだが、今はそんな場合ではないだろう。

『力を貸すのは構わねぇが、実際どうするつもりだ？　あの化け物は半端じゃ倒せねぇぞ』

『それについては俺とセフィで何とかする』

　何とかする——というよりも、何とかしなければならないだろう。

　ここまでの戦闘の間、俺とセフィは仲間たちの援護に徹しつつも、自分たちの手札を何度も見返し、必死で考えてきた。その結果として見出だした一つの手段。今でさえ本当にこれで勝てるのかという不安はある。いや、不安しかない。それでもやるしかないのだ。

『悪いが皆には、しばらくの間、奴の相手を頼む』

『まあ、やるしかねぇか』

『お任せください、主様』

『私たちの命は、主様と共にある』

『すまん、ありがとう』

それぞれに応えてくれる彼らに、俺は礼を言い、疲労から地上に降り立っているブリュンヒルドとエイルの足にそっと根を絡ませた。

『これは？』

『何かが、流れ込んで来る……？』

不思議がる彼女らに答えたのは、セフィだ。

『ブリュンヒルドとエイルを、しんりきできょうかしてみた』

それは炎神が配下の騎士たちに行っていたことの模倣だ。

神力による強化が眷属にしかできないのかは分からないが、眷属ならば容易なのは体感的に分かる。主と眷属の間には目に見えない繋がりがあり、その繋がりを介して魔力などのやり取りができることは本能的に知っていた。

そしてヴァルキリーたちは俺の眷属であり、今は俺と融合しているセフィは、俺を介することで自身の神力――つまりは【神性値】を注ぎ、彼女たちを強化することができるらしい。

神力によって超強化された彼女らは、もはやただのヴァルキリーではない。ヴァルキリーを超えたヴァルキリー――言うなればスーパーヴァルキリーだ。

ちなみに、俺が神力を操ることはできないようである。

というのも、神力とは読んだ字の通りに神の力であり、神の位階にある者でなければ、自由な操作ができない――と、セフィが教えてくれた。

セフィも神力を操り、自らの意思でもって使用するのは初めての経験だったみたいだが、

『あいつがやってるのみて、おぼえた』

実にあっけらかんと言う。

『さすがはセフィちゃんですわ……』

『セフィちゃん、天才』

ヴァルキリーたちは感嘆する。

如何に普段はぽやぽやした幼女とはいえ、セフィの本質は神だ。

実際、天与の才と呼びたくなるほどの能力をこうして見せることがある。

そして今は、そんなセフィの才能に賭けるしかない。

『ユグ!!』

炎神の神力が高まり、セフィが叫ぶ。

俺は地上にいる仲間たちを地下へ避難させた。

ガーランドは褐色エルフを見送ると、自らの神剣に【神性値】を吸わせながら、全身にグラムさえ上回る密度の闘気を巡らせる。

『さあ、最後の戦いですわ』

『気張るよ』

惜しみ無く神力を注がれて強化されたブリュンヒルドとエイルは、白い燐光を全身に纏っている。

精霊という高位の生命体である彼女たちだが、今はそれに神性な雰囲気が加わり、どこか威厳さえ感じさせた。

俺は――、

『分霊生成』

セフィから【神性値】のバックアップを受けて、幾つもの分霊を生成した。

その数、実に38体。

今、生き残っている狂戦士ゴーレムの数だ。

俺は生成した分霊を、間髪入れず狂戦士たちを依り代として憑依させる。

そして、その中の1体をひっそりと『魂無キ狂戦士ノ館』の中に格納した。

『やるぞ、セフィ！』

『まかせて、ユグ！』

直後、4対8枚の翼を生やす炎の魔神と化した炎神が、白く輝く炎の球を俺たちへ向かって落とした。

炎球は爆発のごとく膨張し、何もかもを呑み込む神炎が戦場全域を覆い尽くす。

第五十九話　グングニル

「呑み込めッ、ダーインスレイヴ!!」

ガーランドは自らの周囲を神剣ダーインスレイヴの赤黒いオーラで覆った。

そのオーラが、吹き荒れる炎を体に触れる直前に消滅させる。

「体が軽いですわ！」

「これなら誰にも負けない！」

ブリュンヒルドとエイルは上空に飛翔することで炎を逃れた。

しかし膨張する炎の速度は速く、いつもの彼女たちならば到底回避できるものではない。だが、神力で強化された彼女たちは違った。まるで流星のような速度で一直線に空へ飛び上がり、悠々と炎を回避する。

『セフィ、いけるか!?』

『だいじょぶ！　コツはつかんだし！』

俺とセフィは分霊を宿して変化しつつある狂戦士ゴーレムたちを守る。

俺と分霊が水魔法で狂戦士たちを覆う分厚い水の膜を作り出し、セフィがその膜へと神力を込める。

神力をそのまま攻撃へ転用するのは難しいようだが、何かに神力を込めるという行為のコツは掴んだらしい。神力を込められた水魔法は一瞬にして沸騰し、みるみる内に気化しながらも炎に耐えている。普通の水魔法なら、あるいはただの水ならば、一瞬で消滅しているはずだ。

炎の爆風は数秒に過ぎない。

俺たちは最初の攻撃をやり過ごした。

吹き荒れる爆炎が晴れた時、ほとんどの質量を気化させた水の膜が失われ、守っていた狂戦士ゴーレム――否、分霊を宿した新たなるゴーレムたちが姿を現す。

その姿は漆黒の刺々しい全身鎧から一変し、細身のシルエットに変貌していた。

まず全身が白へと変色し、人体の形をそのまま象ったかのように滑らかな造型の鎧姿に変化している。右手には同じく白の長槍を持ち、頭にはつば広帽を深く被って左目を隠している。

仮に分霊ゴーレムとでも呼ぼうか。

このゴーレムたちは、それまでの狂戦士ゴーレムとは見た目が違うだけでなく能力も明らかに強化されていた。素早くステータスを確認した分霊たちから、その内に秘める能力の数々が念話にて共有される。

新しく手に入れたばかりの能力を使いこなすことは出来ないが、それでも比較的簡単に使えそうなスキルがあった。

その名は――『必中魔槍』

狂戦士ゴーレムにあった『必中必死』を彷彿とさせるスキル名だ。おそらくは分霊を宿したことでスキルが変化したのだと思われる。

それは分霊ゴーレムたちが所有する長槍が持つ能力でありスキル。膨大な【生命力】と【魔力】を代償とするが、使うこと自体は実に簡単なスキルだ。使い勝手自体も『必中必死』とは比べ物にならない。何しろこれは、一撃放って自爆するようなスキルではないのだ。

そして、それだけ分かれば上等だ。

38――いや、戦場にいる37体の分霊ゴーレムたちは、すべて無事であり、大いに活躍してくれることだろう。

『はっはぁッ！　思ったよりやるじゃねぇか！』

俺たちが誰一人として脱落していないことに気づいてか、炎神が面白そうな声をあげた。

『神力を使ってる……てこたぁ、ハイエルフのガキも生きてたか』

俺と同化したセフィは最初から奴と戦っているが、その姿を目の前に現したわけではない。

俺たちの中で唯一、神力を操れるセフィが健在であることに、奴も気づいた。

『居場所はー……地下か』

今まで何度も仲間たちを地下へ退避させている。

それを見ての推測か、あるいはセフィの魔力か神力を感知したのか、あっさりと居場所を看破する。

『面白ぇッ！　まずは地上に引きずり出してやるよッ！　――神炎槍！』

炎神の掲げた右手に、白き炎で形成された長槍が現れる。

呼吸するようにあっさりと、莫大な神力を込められた炎の槍は明らかに脅威だ。あんなものが地面に撃ち込まれたら、避難させた仲間たちも危ない。

「させませんわッ！」

「お前の魂は、いらないッ！」

燐光を纏ったブリュンヒルドとエイルが高速で飛翔、左右からほぼ同時に挟撃する。

飛翔の勢いを乗せられた長槍の双撃は、

『ハッ！　何だそりゃ？　軽すぎるわ！』

4対8枚の炎翼で容易く受け止められる。

炎翼を切り裂くこともできなかった。

だが、彼女らの攻撃は無駄ではない。

「喰らって吐き出せ！　ダーインスレイヴッ！」

炎神の意識がヴァルキリーたちに逸れた瞬間、闘気によって強化された身体能力でガーランドが高く高く跳躍する。彼は炎神の頭上に浮かぶ炎の槍をダーインスレイヴで斬り上げると、赤黒いオーラで呑み込み消滅させ、

「オオオオラァッ!!」

手首を返して斬り下ろす。

その刃の先には炎神。ダーインスレイヴは炎の槍を喰らった力を利用したのか、赤黒いオーラを

巨大な剣のごとく変化させ、確かに炎神の体を斬りつけた。

『おおッ!?　何しやがる！　痛えじゃねえか！』

などと言う割には傷はない。

それでも痛みがあるということはダメージが入っているのか、炎神は嫌がるように空中のガーランドに左手を向け、その手のひらに白炎の弾丸を生み出す。

『死ねッ！』

「不味ッ!?」

『ガー！』

弾丸が発射される寸前、何とか間に合った。

地面から生やした一本の根が、ガーランドの足に絡みつき、地上へ向かって引き寄せる。

放たれた弾丸はガーランドの頭上を通り過ぎ、遥か後方の霊峰フリズスの一角に着弾した。

白き爆発が巻き起こり、大気が、大地が鳴動する。山の一角が抉れたように形を変え、赤熱する断面が溶岩となって山肌を流れ落ちる。

「助かった！」

地上へ降り立ったガーランドが礼を言う。

『足場を作る！』

俺は自らの体を操って、戦場全体から空へ向かって逆向きに伸びるように、巨大な根を生やした。

膨大な魔力を惜しげもなく使用し、高速で生えた根の先端は、炎神のいる高度よりもなお高い。

ガーランドや分霊ゴーレムたちが、根を足場として跳躍し、炎神へ向かっていく。

『馬鹿がッ！　また燃やしてやるよ！』

炎神がぐるりと横に一回転した。

その動作と共に、炎の翼から羽の形をした炎の礫が数百と周囲へ撒き散らされる、が――、

『そう何度も燃やされてたまるか！』

『もうきかないもんね！』

俺と融合しているセフィから、俺の体の隅々まで神力が送り込まれる。

もはや手慣れた感のある神力による強化によって、奴の炎でも容易く燃やされることはない。確かにあちらこちらで炎が俺の体を包み込んで燃やしていく。それでもいきなり灰になるようなことはなく、燃え上がる場所も神力を込めた水で消火することができる。失われた根も、再生は容易だ。

それだけじゃない。

四方八方に伸びる逆さまの根は太く、遮蔽物となって死角を作る。

その死角を利用するようにヴァルキリーたちは飛翔し、いきなり視界に現れては炎神へ攻撃を加えていく。もちろんガーランドも同様の手口で立ち回り、着実にダメージを重ねていった。

『ガァアアアッ!!　鬱陶しいわッ!!』

だが、炎神が最も嫌がっているのは、分霊ゴーレムたちの攻撃だった。

ゴーレムたちの持つ槍は、特別な能力を備えていた。

【生命力】と【魔力】を「１０００」ずつ消費することで、必ず相手に命中し、どんな相手にも有

効な一撃となる——というスキルだ。

37体の分霊ゴーレムたちが、俺の根という遮蔽物越しに槍を投擲する。

もちろん、普通なら当たるはずもない攻撃だが、スキルを使用したその攻撃は例外だった。

まるで槍それ自体が意思を持ち動いているかのように、明らかに遮蔽物を避けて飛翔し、次々と炎神の体に突き立つ。

着弾した槍は役目を終えると炎神の炎に燃やされるでもなく、空気に溶けるように消滅し、かと思えば次の瞬間には分霊ゴーレムたちの手元に戻っている。

実体のない炎神には大したダメージとはなっていないようだが、何しろ自らの体を貫かれるのだ。この上ない嫌がらせには違いないだろうし、スキルの効果にある「どんな相手にも有効な一撃となる」という言葉通り、確実にダメージは与えているようだった。

『殺す殺す殺す殺すッ!!』

苛立ちが頂点に達したのか、炎神はガーランドやブリュンヒルドたちを無視して分霊ゴーレムたちを優先的に壊し始めた。

翼の炎を勢い良く噴き出して、根の間を縦横無尽に飛び回っては、その拳や足を直に叩きつけ、炎を流し込んで燃やしていく。

1体2体3体4体と、次々に分霊ゴーレムたちが破壊されていく。

だが、その間にもガーランドたちがそれぞれの武器を叩き込み、それ以上に必中の槍が立て続けに炎神の体を貫いていく。

　スキル『必中魔槍』は、分霊ゴーレムたちでも各2回しか放つことができない。【生命力】と【魔力】が、それでほとんど尽きてしまうからだ。

だが、ゴーレムたちが立っているのは俺の体の上である。

　俺がセフィと融合している今限定だが、接触した部分から無尽蔵の魔力を供給し、生命魔法で【生命力】を回復させてやることで、破壊されない限りは何度だって『必中魔槍』を放つことが可能だ。

　事実上、回数制限のない必中の魔槍は炎神へ幾度も突き刺さり——奴の苛立ちは限界を超えた。

『アァアァアァ!!　もういい!　もう遊ぶのは止めだ!!』

　飛翔を止めるとその場に浮いて、全身から白い業火を噴き出し始める。一際巨大な神力の高まり。

『つまんねぇんだよ!　全部消えろッ!』

　奴を中心に神炎が吹き荒れ、それは巨大な爆発となり、すべてを吹き飛ばす。

　神力によって強化していた根が、何十体もの分霊ゴーレムたちが、ブリュンヒルドとエイルの化身体が、単純かつ圧倒的な炎の前に消滅した。

　戦場は再び更地に——いや、それどころか一面がぐつぐつと煮え立つ溶岩の海と化した。

　だが——、

「オオオオオオオッッ!!」

　ダーインスレイヴで炎を喰らい、防御したガーランドが、それでも全身の体毛を無惨に焦がしながら炎神へ向かって落下して来る。同じく上空に吹き飛ばされ、ギリギリ原型を保っていた分霊ゴーレムを足場に、まるで喰らいついたら離さない蛇のような執念でもって跳躍し、大技を放って束の間放心する炎神の体に、神剣ダーインスレイヴを叩き込んだ。

『ぐあああッ!?　てめぇッ!!』

今まで何度神剣の刃を受けても、然《さ》したる痛痒《つうよう》を見せなかった炎神が、苦痛の声を漏らす。

『ここだ!　セフィ!!』

直感し、俺は叫んだ。

ここで決めねば炎神を倒す機会は永遠に失われる。

戦いながら、俺は妙な違和感を覚えていた。

炎神。教国の神。絶望的なほどの力を持つ怪物。

だが、実際に戦ってみれば、炎神は意外なほどに弱かった。

もちろん、奴が持つ力は圧倒的だ。

牽制のように放った炎弾一つで山に大穴を開け、大地を赤熱させ、巨大構造物と化した俺の体を一瞬で灰にする。神力で強化しなければまともに相対することもできないような存在が、弱いわけがない。

炎神の能力は、その力は、まさに神と呼ぶに相応しく、理不尽なほどだった。

それでも、俺たちは戦うことが出来ていた。それどころか、奴に何度も何度も攻撃を叩き込んでいた。

奴が力に見合う「強さ」を備えていたならば、そんなことはありえないのだ。

むしろ角炎の魔人と戦っている時の方が、ずっと勝てないような予感をさせられていた。炎の魔人として振るう力以上に、その技量が、俺たちの攻撃への対応能力が飛び抜けていて、結局ガーランドが来るまで有効な攻撃を浴びせられなかったくらいだ。

対して炎神はそうではない。

なぜか？

決して一方的ではないものの、何度も何度も己の体に攻撃を叩き込まれ、まるで駄々をこねるように苛立ち、力任せの攻撃で全てを吹き飛ばそうとする——そんな炎神の姿を見て、俺は気づいた。


——こいつは、ガキだ。


新神。

長老から聞いていた。

教国の神々が生まれて、まだ20年も経ってはいないのだと。

神の精神がどのような速さで成長するかは知らないが、炎神が理不尽な目にあったり、挫折したり、自分の思い通りにならない環境にいたとは思えない。周囲の人間たちは皆、炎神の願いを何でも叶えようとしたことだろう。何もかも思い通りになるような環境で安穏と暮らし続けていたとするなら、20年という時間でも、いったいどれだけの成長があるというのか。

それは戦いにおいても同じだ。

炎神が毎日汗水垂らして訓練をしたり、戦いにおいて苦戦をした経験があるとも思えない。

ならば、そこに成長があるはずもない。


——途方もなく巨大な力を持っただけの、我が儘な子供。


それが炎神という存在なのではないか。

だからこそ、自らの力を制御できずに騎士たちを殺してしまうからと、一人で戦うという選択肢に何の疑問も抱かなかったのではないのか。無知ゆえの傲慢さで余裕を見せ、危機感すらない。

だからこそ弱い。

弱いが、強い。

炎神の持つ力だけは、変わらずに脅威だ。

好機を逃せば、ただ圧倒的な力のみで、俺たちは殺されるだろう。

赤熱する大地を割って、俺は一本の太い根を天へ伸ばす。

その根を起点に、スキル『魂無キ狂戦士ノ館』に格納していた分霊ゴーレムを解放する。

他のゴーレムたちと同じく、細身のシルエットの白いゴーレムが、塔のように屹立する根の最上部に現れた。

瞬間、根と分霊ゴーレムの下半身を融合。

俺と接続した分霊ゴーレムは、つまりセフィとも接続しているということ。

眷属だけでなく、魔法も俺自身の強化もできた。だからこそ、できるという確信があった。

『うあああああああッ!!』

セフィが叫びながら、分霊ゴーレムへ――正確には、ゴーレムの持つ長槍へと【神性値】を注いでいく。

ブリュンヒルドたちを強化した時よりも、水魔法に神力を込めた時よりも、俺の体に神力を流した時よりも、遥かに多くの神力を――セフィが森神となってから、今まで溜めて来た神力の大半を注ぎ込んでいく。

神の力が槍という小さな器から溢れ出すほどに注がれて、白く白く輝いた。俺の由来の分からない記憶がもたらすものか、強烈な既視感を覚えながら、分霊に槍を構えさせた。

そうして心の中で、自然とその名を呟いて、槍を投擲する。

神技・必滅必中槍――グングニル

槍が飛翔した軌道は見えなかった。

いや、あるいは、そもそも軌道など存在しなかった。

槍は投擲された瞬間に、あらゆる因果を無視して空中の炎神を貫き、その胸に大穴を穿つという結果のみを結実させた。

『ガッ!?』

まるで時が止まったような、静寂。

『…………なんでだ』

炎神は自らの胸の大穴を見下ろし、数秒、その穴が再生しないことに疑問を発する。

『嘘だろ……嫌だ……なんで俺が』

炎で出来た炎神の体が、その端からさらさらと砂のように、無数の粒子と化して崩れていく。光の粒が風に乗って遠くへと運ばれていく。

自らの死、あるいは滅びを悟ったのだろう。

『し、死にたく、ねぇ……』

神にしては陳腐な言葉が、炎神ファイア・メイカーの最期の言葉になった。

第六十話　これからも日々は続く

58人。

教国の騎士と炎神を相手にして、その数が多いか少ないかは、俺には判断できない。

俺たちと直接の関係がない者たちならば、きっと誰もが少ないというのだろう。けれど、親しい者たちの死を前にしては何の慰めにもならない。


炎神たちが襲って来た日から、一週間が経った。

洞窟内にある隠れ里の方は無事だったが、元々のエルフの里であったり、その周囲に開拓していた森であったり、あるいは酒蔵であったりと、洞窟の外にあったものは全てが破壊されてしまった。おまけに溶岩のように煮え立った大地が冷え固まった時、そこは巨大な岩盤に覆われたような有り様になり、とても農業などできる土地ではなくなっていた。

とはいえまあ、一週間経った今では大部分が何とかなっている。

というのも、ゴルド老を中心として、ドワーフたちが地質を改善してくれたのだ。

それは炎神の野郎を倒した次の日のこと。

『ガチガチに固まってら……これじゃあ農業できねぇぜ』

「畑全体が岩みたいになってるっすからねぇ……」

「この土地をどうにかするより、他の場所を開拓した方が早いかもしれませんね」

ゴツゴツとした地面を眺めて嘆く精霊体姿の俺に、ウォルナットとローレルも同意する。

『開拓するとしたら、ちょっと時間がかかるな。食料は大丈夫か？』

「洞窟の中に貯蔵してた分で、しばらくは保つと思うっすよ」

『おお！　それなら大丈夫か』

一先ずの食料は足りているらしい。安堵に胸を撫で下ろす俺（比喩的表現だよ？）に、しかしローレルが少しばかり声を潜めて、

「しかし、お酒の方は壊滅的ですよ。何しろ酒蔵は外にありましたからね」

と、告げて来る。

『なん、だと』

俺はローレルの言葉に戦慄した。

食料が足りていて安心したが、それどころじゃねぇ。酒がないと分かったら、ドワーフたちが何と言うか。

「なん、じゃと……ッ!?」

『うわゴルド老ッ!?』

どうやってドワーフたちに酒がないことを伝えようかと頭を悩ませた瞬間、ローレルの後ろから

ゴルド老の声がした。

どうやらローレルも背後にゴルド老がいるのに気づかなかったらしく、珍しく声も出ないほどに驚き、飛び上がっていた。

『き、聞いてたの……？』

「酒がないとはどういうことじゃいッ!?」

完全に聞かれていたようだ。

無茶苦茶大声で詰問するゴルド老に、俺はすべてを話すことにした。

いや、嘘を吐いたところで事態は改善しないからね。

しかし幸いというか、酒がないことによるドワーフ一揆は起こらなかった。むしろ彼らは率先して、畑と酒蔵の復興を手伝ってくれたのだ。

「畑が使えん？　そんなことなら儂らに任せておけいッ！　最優先で酒蔵を再建してやるからの！」

『お、おお……！　できるのか、頼む。っていうか、まずは酒蔵より畑の方をお願いね？』

というわけで、ドワーフたちは男女一丸となって動き出した。

「皆の者！　最速で酒蔵を再建するんじゃあ！」

「「「おおうッ!!」」」

そして酒蔵を再建するドワーフたち。その動きは素晴らしく速かった。流石である。

いや、ちゃんと畑の方も元に戻してくれたよ？

何しろ備蓄している食料も多くない。酒蔵を建てたところで、酒にする穀物や果物がなければ酒は造れないということに、ドワーフたちが気づいてくれて本当に良かった。

彼らは冷え固まった岩盤を粉々に砕き、さらに得意の土魔法によって地面の下の土と上の土を入れ替える「天地返し」を行った。それによって問題なく農業ができる土地に改善され、今では少しずつ畑も以前と同じように広がっている。前と比べれば畑の広さは現段階で6割といったところだが、直《じき》に以前と同じ広さに戻るだろう。

俺の地上部分の本体たる精霊樹や里の大樹たちも、地下の根や地下茎を残して全て燃えてしまっていたが、それを再生することはセフィから魔力の供給を受ければ容易だった。

そんなわけで、ドワーフたちが何よりも優先して酒蔵を建て直してくれたこともあって、この短期間でほぼほぼ以前と同じくらいまで復興作業は完了していた。

セフィが炎神から受けた火傷は、普通の回復魔法では完治までかなりの時間がかかるはずであった。だが、あの戦いの中で神力の扱い方を習得してしまったセフィにかかれば、回復魔法に神力を込めることで簡単に癒すことが可能だったのだ。

しかし、俺や大樹たちの再生や畑の再創造といった事もあり、最初の三日くらいまでは、セフィは俺と融合したまま魔力を供給してくれていた。

今では後遺症などもなく分離——というか、元に戻っているが、もしも融合の解除ができなかったらと、俺は気が気ではなかった。だが当のセフィはと言うと、

「がったいのかいじょができなくても、セフィゴーレムをつくって、それにひょういすればじゆうにうごけるし」

と、何とも気楽な感じであったのだ。

いや確かに、ゴーレムに憑依して動くのも出来たと思うけどね。

しかし、やはりセフィには幼女姿で地上を元気いっぱいで走り回ってもらっているのが似合うし、皆も安心するだろう。


一方、炎神の最後の攻撃によって化身体を吹き飛ばされてしまったブリュンヒルドたちだが、もちろん無事だ。そもそも彼女たちの本体は里の大樹たちであり、それは俺と地下で融合している。

大樹を再生させてしばらくすると、彼女たちは何事もなかったかのように化身体で外へ出てきた。

とはいえ、セフィの神力による強化は一時的なものだったらしく、今ではスーパーヴァルキリーから、ただのヴァルキリーに戻っていた。

『そういえば、英霊の魂とやらは狩れたのか？』

俺はふと気になって、ブリュンヒルドたちに問うてみた。

魔人との戦いで、確か「館に招くに値する」だのと言っていたはずだ。

「いえ、残念ながら回収できませんでした」

「魂を消費するような強化方法だったのかも。魂はどこかに消えてた」

エイルの言葉からすると、奴らを倒した段階で、そもそも回収すべき魂が無くなっていた、ということらしい。

まあ、回収できたところで、奴らが俺らの仲間になってくれるとは思えないから、回収できなくて良かったのかもな。


ヴァルキリー姉妹の他、グラムたちも無事だ。今ではグラムの失われた腕も再生したし、ベルソルやエムブラも本性は植物の精霊なので、『光合成』やら『エナジードレイン』やらで傷も疲労も癒すことができる。

『今回は最後まで戦いを共にできず、無念でした。我もまだまだ精進あるのみですな』

とは、グラムの言だ。

傷を癒すとグラムは、ベルソルとエムブラを連れて、以前にも増して多くの魔物を狩って来てくれるようになった。どうやら修行しているらしい。

「ま、毎日これでは身が持ちませんわ……」

「僕らはグラムみたいに脳筋じゃないんだけど……」

付き合わされるベルソルたちは大変そうだったけどな。


そうそう、狂戦士ゴーレムだけど、彼らは1体残らず破壊されてしまい、今では分霊ゴーレムが1体残るのみとなっている。それをブリュンヒルドたちがあまりにも残念がるので、暇をみて狂戦士ゴーレムは補充する予定である。

それからガーランドだが、どうやら集落を失い、逃げ遅れていた狼人族たちを樹海の中で回収すると、エルフの里まで連れて来るつもりだったらしい。

しかし、かつてエルフの里があった場所には何もなく……というか尋常ではない大穴が開いているばかりで、エルフたちが無事かどうか心配になったようだ。狼人族の避難民たちも何もない場所に放り出すわけにはいかず、ドラシル形態で俺たちが移動していた痕跡――つまりはセフィの「森を割る」という大魔法の魔力的痕跡を辿って、ここまで追ってきたというのが実情だった。

新たな狼人族たちは１００人近い大所帯だったが、難民の割合はこの半分くらい。もう半分はガーランドが率いる傭兵団の団員たちなのだとか。

今もガーランドたちは里に滞在していて、復興作業やら何やらを手伝ってくれている。

あと、一部の狼人族たち――特にヴォルフなどは、ガーランドに戦いの稽古をつけてもらっているようだ。何でもヴォルフ的には今回あまり活躍できなかったらしく、今後はこんな不甲斐ない姿を見せないためにも、狼人族きっての大戦士であるガーランドに教えを乞うているらしかった。

「森神様、精霊様、このヴォルフ、必ずやさらに強くなり、今度は教国の兵どもをバッタバッタと薙ぎ倒して御覧に入れます。お待ちください」

と、決意に満ちた表情で語ったものだ。

『ああ、うん、頑張ってな……ほどほどに』

「セフィもまけてらんない！　ガーにけんじゅつおそわろうかな!?」

『それはもう少し落ち着いたらにしてくれ』

そして、ガーランドたちに同行していた褐色エルフは、彼らの傭兵団の一員、というわけではなかった。

彼女は多種族国家にして砂漠の国ヴァナヘイムから派遣されて来たエルフ族に対する使者で、砂漠エルフのグレビレアと名乗った。

グレビレアがガーランドたちと同行していた理由は単純で、エルフたちの隠れ里の場所を知るのが狼人族であり、ちょうど使者の役に任ぜられてヴァラス大樹海に出発しようとした時、同じく同胞の危機を知りヴァラス大樹海に旅立とうとしていたガーランドたちに同行したのだとか。

その後、狼人族たちの救出にも同行して力を貸していたらしいから、怜悧な美貌に反して、情に篤《あつ》い人物であるようだ。

そんな彼女が国から預かってきたのは、ヴァナヘイム王族からハイエルフに宛てた親書だった。

時候の挨拶から始まり、ずらずらと装飾された文章が並ぶ手紙を、もちろん幼女なセフィが読めるはずもなく、代わりに長老に読んでもらい翻訳してもらったところ、その内容は……、

「どうやら、教国に対抗するため、ヴァナヘイムと我らエルフとで同盟を結びたいようですな」

ということらしかった。しかし、だ。

『同盟っつってもな。俺らは小勢力だし、正面から教国と戦争なんて出来ないぞ？』

そんな俺の疑問に、長老が答える。

「この親書によると、それは先方も承知しているようですな。どうやらヴァナヘイムが我らに求めているのは、姫様による砂漠エルフの一族の説得……要はヴァナヘイムの一地方で独立している彼らと協力の約束を結びたいこと、エルフの霊薬など我らしか作れない物資を融通して欲しいことなど……ですじゃ。対してヴァナヘイムは我らに土地を用意できると書いておりますな。もしくは、森を離れたくない場合、教国の侵攻に際して戦力を派遣する、とも」

　詳しく聞いてみると、どうやらヴァナヘイムも現在進行形で教国と戦争の真っ最中らしい。だからこそ、傭兵のガーランドたちがヴァナヘイムで活動していたわけだが。

　ともかく、そんなわけで彼らもエルフの勢力と誼《よしみ》を結びたいらしい。特に砂漠エルフの一族を自国の戦力に引き込めれば、と考えているようだ。そのためにエルフたちの神であるセフィに説得してもらいたい――ということだろう。砂漠エルフたちと森エルフに直接の交流はないようだが、それでもエルフはエルフであり、ハイエルフの権威は彼らにも有効なのだという。

　ちなみに、当の砂漠エルフであるグレビレアは、既にヴァナヘイムに属しているが、

「私は一族の爪弾《つまはじ》き者で、例外だとお考えください」

と、言っていたので、砂漠エルフという一族自体は、ヴァナヘイムに従っているわけではなく、独立勢力で間違いないようだ。

　これらの提案に俺は、

『前向きに善処しよう』

　と答えた。

これは何も政治家ぶった玉虫色の回答ではない。本当に言葉通りの意味だ。

ヴァナヘイムの実状を良く知らなかった頃は、彼らの国に行けば迷惑をかけると考えていた。俺たちを追って教国の奴らがヴァナヘイムに侵攻すると考えていたからだ。しかし実際には既に両国は戦争状態にあり、おまけにヴァナヘイム側は俺たちに一定の価値を見出しているらしい。となれば、俺たちが遠慮する意味は薄い。

これは実際にヴァナヘイムに足を運んで、詳しい話をしてみるしかないだろう。

たぶん、俺たちの居場所は教国にバレた。

それでも教国との間には深く広大なヴァラス大樹海が横たわっており、大軍を率いて攻めて来ることは不可能だと思う。しかし、少数の騎士や新神たちが、今回のように攻めて来ないとは断言できない。

だから、他の勢力——しかも国レベルの大きな勢力と繋がりを持てることは、俺たちにとって間違いなく希望の光になるはずだ。

とはいえ、この場で安易に判断を下せる話でもない。

俺はグレビレアに、実際にヴァナヘイムへ足を運び、話し合うための場を設けて欲しいことを伝え、彼女にはしばらく里に滞在してもらうことにした。ヴァナヘイムへ行く手段はあるのだが、今は里の復興と防備の強化を優先したいのだ。

「分かりました。それではしばらくの間、お世話になります」

彼女はそう頷いて、今も里に滞在して何くれとなく作業を手伝ってくれている。

他国の使者に畑仕事を手伝わせるのは心苦しいのだが、当の本人は砂漠出身のためか、実り豊かな地での農業は楽しい経験のようだ。


エルフや狼人族やドワーフたちの葬儀の風習はそれぞれだった。燃やしたり樹の根本に埋めたりとの違いがある。だが今回は、里の住民たちの話し合いの結果、俺の本体たる精霊樹の根本に埋めることが決定された。

里の守護者である俺と共に、皆を見守ってくれるように、との願いを込めて。

だからこそ、皆の遺体を自然分解に任せるのではなく、俺にきちんと吸収して欲しい、ともお願いされた。

俺は遺族たちのその願いを聞き届け、炎神との戦いで死んだ彼らを、その肉体を、余すことなく吸収した。

それが炎神との戦いが終わった日のことである。

それから一週間。

里の復興にもある程度の目処が立ち、俺たちは葬式を行うことにした。

とは言っても、しめやかに冥福を祈るのではない。

群青色に染まり、ちらちらと星が瞬き始めた空の下、住民たちが精霊樹の周りに集まり、なけなしの酒や食料を持ち寄って、悲しみを吹き飛ばすように明るく騒ぎ出す。

その様子を、エルフの工芸品であるマリモの入った照明籠が柔らかく照らしている。

俺の根本に陣取ったセフィが精霊体の俺を膝に抱えながら、桃をシャクシャクと頬張り、果汁で汚れた口元をメープルが優しく拭う、いつもの光景。

と、不意にセフィが顔を上げて空を見上げた。


――………。


『あ……。ねぇ、ユグ？　きこえた？』

セフィがこっそりと、念話で俺に確認してくる。

『ああ……聞こえた、な』

今、俺たちの中を何かが――いや、誰かが通り抜けていったような気がした。同時に、様々な人々の、様々な想いを乗せた声が、優しく響いて消えていったのだ。それはたぶん……。

『……どこかで、みててくれるかな？』

『ああ、見守ってくれてるさ、絶対に』

互いに声が聞こえたことを確認して、俺たちは何となく笑い合った。

だから。

これから先、どんな敵が現れようとも、きっと大丈夫だと俺は思った――。

番外編【SIDE：ブリュンヒルド】最強は誰だ!?

教国の新神――ファイア・メイカーが自らの騎士を率いて攻めて来て、それを主様や里の皆と共に撃退してから二週間ほどが過ぎた頃でしょうか。

一度は完全に失われた畑や、主様や私たちの本体があった元エルフの里も、今ではこの短い期間ですっかり元通りになっていました。

主様と「融合」していたセフィちゃんが、そのハイエルフとしての権能を遺憾なく発揮して、無尽蔵の魔力を供給してくれたことが、この異常な復興の速さの最も大きな要因でしょう。さすがはセフィちゃんと言うしかありません。ハイエルフたるセフィちゃんがいる限り、森は、私たち大樹たちは、何度でも甦《よみがえ》るのです。

しかし、セフィちゃんや主様には及ばないまでも、凄まじい貢献をした者たちがいます。

誰あろう、ドワーフの皆さんです。

炎神の襲撃によって全てのお酒を失ってしまったドワーフたちは、お酒の製造をすぐにでも可能とするべく、岩盤と化した畑を土魔法で解《ほぐ》し、下の土と入れ替え、以前よりもむしろ立派な酒蔵をほんの二日で建ててしまいました。

ドワーフ全員が一丸となり、昼も夜もなく作業した結果です。

彼らのお酒への執念には、目を見張るものがあります。

最初はエルフたちとも衝突があったようですが、今では軽く言い争うことはあっても、本気で争うことはありません。どうやらお酒を造ってくれるなら、過去の因縁《いんねん》にもそれほど興味がない様子。

「過去の因縁よりも今の酒」とは、ドワーフの長老であるゴルドの言葉です。いえ、全然名言とかではないのですけど。

争わなければ、土を操るドワーフと、森と共に暮らすエルフは、意外にも相性が良いように思えました。

突如として訪れた危機も無事に乗り越え、何だかんだで人々は恙無《つつがな》く日々を過ごしています。

しかし炎神たちの襲撃は、確実に私たちの心へと傷痕を残しているのです。

もしもまた、あのような者たちが攻めてきたら、次も勝てるという保証はありません。皆が不安になるのも当然でしょう。

その結果として——ドワーフを除くエルフ、狼人族、そしてグラムたちまでもが、日々の仕事の合間を縫って、修行に励むようになったのです。

良いことです。良いことなのですが、俄《にわか》に戦闘脳へ移行しつつある彼らの間で、一つの疑問が浮かび上がるようになりました。

すなわち——誰がこの里で一番強いのか？　という問いです。

これは私たちヴァルキリーとしても、無視することはできません。強き者の魂を狩るのが私たちの使命ですから、こういう話は正直、かなり興味あります。とはいえ、強さとは相対的なもの。色々な者たちから、誰が強いと思うのか、話を聞いてみるべきでしょう。

この謎、必ずや私たちが解き明かしてみせます。主様の名にかけて！

「――というわけで、行きますよ、エイル」

「何が、というわけなのか不明だけど、わかった」

戦乙女顕現で化身体を生成した私と妹のエイルは、さっそく歩いて目的の場所へ向かいます。近くなので、わざわざ飛行する必要はありません。

まず向かうは、炎神との戦いでも大いに活躍してくれたガーランドのところです。彼は今、ヴォルフをはじめ、多くの狼人族やエルフなど、希望する者たちに稽古をつけてくれているはずです。

ガーランドたちはすぐに見つかりました。

主様の本体たる精霊樹の根本、広場となっているそこで、ガーランドと大勢の者たちが稽古に励んでいました。

ガーランドは凄まじい技量を備えた一流の剣士です。ですから自然、教えるのも剣術が主になります。

今はガーランドと1対1で、実際に立ち合いをする試合形式の稽古をしているようでした。ガーランドともう一人が向き合い、その周囲を人々が円状に囲み、観戦しています。見稽古でしょうか？

　ガーランドの相手はウォルナットのようです。

　普段は少々軽薄なところのあるウォルナットですが、ガーランドと打ち合う姿は真剣そのものです。

　意外と言ってはなんですが、ウォルナットはガーランド相手にそこそこ善戦しているようでした。両者とも魔法も闘気術も使用せず、純粋な剣術のみで試合しています。

　とはいえ――良く見ればガーランドの顔にはまだ余裕があります。ウォルナットは対照的に必死です。善戦しているように見えるのは、ガーランドが手加減しているからでしょう。

　それでもウォルナットの技量も高い次元にあるのは、見ていれば分かりました。先程から木剣を打ち合うカンカンという音が鳴り止みません。無駄な大振りはなく、型に沿った素早い切り返しの連続。そして体を走る正中線や重心は、激しい動きの中でも全く揺らいでいません。隙のない剣撃の嵐は、練達の剣士のそれです。

　しかし、試合はやはりガーランドの勝利で終わりました。

　連撃を受け流し防御に徹しつつ、疲労によって見せたウォルナットの一瞬の隙を迅雷《じんらい》の如く突いたのです。手の中から木剣を弾き飛ばされたウォルナットが、敗北を認めます。

「ふむ……二人ともなかなかやりますね」

「死んだら館に招いても良い」

　私たちは感心しました。

ちなみにエイルの言葉は、戦士に対する、かなり上の方の褒め言葉です。最上級だと「あなたの魂、狩ります（問答無用）」になりますが、恥ずかしいので余程でなければ言うことはないでしょう。

え？　なぜ恥ずかしいのか？

……そんなこと、恥ずかしくてとても言えません。少なくとも私たちのような淑女に聞くことではないですよ？

ともかく、私たちは立ち合いが終わった隙を見計らい、質問することにします。

もちろん質問の内容は「この里で一番強いと思うのは誰か？」です。

最初は……そうですね、ガーランドから質問しましょう。

「な、なんだいきなり？」

「質問に答えてください」

「そりゃ、構わんが……唐突だな、おい。んー、まあ、ここで一番強いって言ったら、そりゃあ俺だろ……と、言いたいところだが、さすがの俺でも姫さんや精霊様にゃあ敵わんわな」

「その理由をお聞きしても？」

「いや、普通に勝てねぇだろ。姫さんはそもそも神だし、本気出されたら手も足も出んよ。精霊様も似たようなもんだ。そもそも生物としての『規模』が段違いだからな。地中に根っこさえ残ってたら再生するような相手にどうしろと？　おまけにどっから攻撃して来るか分かったもんじゃねぇし。もしも制限なくダーインスレイヴを使えたとしても、倒し切るのは難しいだろうな」

「ふむふむ。大変参考になりました。それでは、セフィちゃんと主様、どちらが強いと思いますか?」

「その質問に何の意味があるのか分からんが……姫さんじゃねぇか? 神だし」

「なるほど。ご協力、ありがとうございました」

私たちは次に、広場にいる主だった者たちにも同様の質問をしてみます。

まずはウォルナットからいきましょう。

「最強は誰か……っすか。ふむ……戦いの条件もあるし、一概にこれと言い切るのは難しいと思いますが……」

「思わせ振りな口調はいいです。早く答えてください」

「ひどいッ!? 俺の扱いが軽くないっすか!?」

「言いがかりはやめてください」

「え、ええー……」

「文句があるなら、言っても良いのですよ……?」

「あ、はい。ちゃんと答えます。……そうっすね。姫様や精霊様を含めるなら、やっぱり姫様じゃないっすかね?」

「なるほど。では、セフィちゃんや主様を除いた場合はどう思います?」

「うーん……ガーランドっすね。あの技量に神剣を使えるっていうのは、やっぱり強いっすよ」

「ふむ。想像通りで面白味のない回答、ありがとうございます」

「ひどいッ！　聞かれたから答えたのに!?」

ウォルナットはもう良いでしょう。

次はローレルです。

「そうですね。私も姫様、精霊様、の順番だと思いますよ？」

「皆さん同じ回答で、少々困ってしまいますね」

エイルも私と同意見のようで、退屈そうな顔で、

「珍回答希望」

と、希望を述べます。

「そんなことを言われましても……。で、では、強さの順番、なども聞いてみては」

「ふむ、それは良さそうですね。しかし集計が面倒なので、四位くらいまでにしておきましょう。というわけで、あと二人、お願いします」

「……。そうですね、ガーランド、長老、の順番でしょうか」

「ふむふむ、長老ですか。確かに以前の戦いでは活躍していましたね」

「こと魔法の技術に限れば、長老は里でも一番の技量だと思いますよ」

「なるほど。ありがとうございます」

さて、ここからは質問を変えていきます。

内容は「この里で強いと思う者を上から順に四人答えてください」で良いでしょう。

同じ者に聞き返すのも面ど……いえ、アレなので、次はヴォルフに質問します。

「森神様、精霊様、あとはそうですな……ガーランド、守護者殿ですかな」

「ガーランドの地位を脅かす者はいないのですか?」

口を揃えてガーランドを推されると、逆の意見も聞きたくなるというものです。

私がそう思っていると、エイルは別のことが気になったみたいですね。

「ヴォルフ、守護者って、グラムのこと?」

「ええ、そうです」

ガーランドにグラム。私は両者を脳裡に思い浮かべます。……暑苦しい気分になってきました。

「なるほど、ガーランドにグラムとは、脳筋なヴォルフらしい回答ですね」

「え!?」

「では、他にも聞いてみましょうか。あ、ご協力、ありがとうございました」


私たちは他にも、広場にいた皆さんに質問をして回ります。

結果としては、姫様、主様の順番はほぼ固定。三番目もガーランドという回答が多かったのですが、たまに長老、グラム、あるいはゴルドと回答した者も少数ながらいました。

どうやら先の戦いでゴルドが披露した「ゴルドキング」なる巨大ゴーレムの強さに、憧れを抱いた者がいたようです。

他にはベルソルやエムブラの名をあげた者もいました。進化組ゴー君たちの強さは、かなり認められているようです。

ふむ……しかし。

私たちはガーランドたちの前に立ち、質問に回答してくれたことに改めて礼を言います。

「皆さん、回答ありがとうございました」

「協力感謝」

「しかし、この中に私たちの名前をあげてくれた人はいませんでしたね」

「「えッ!?」」

「私たちが弱いと思われているのかと思うと、とても悲しい気分です」

「許すまじ」

「い、いや、そりゃ、姉さん方が質問者だからで……」

「言い訳は結構。戦乙女は嫉妬深いのです」

「この恨み、晴らさでおくべきか」

「いやいやいや!?　ちょっと待ってくださいっすよ!?」

「私たちの強さを、思い知らせて差し上げます」

「全員、かかって来る」

この後、滅茶苦茶試合しました。

所変わって酒蔵にやって参りました。

長老がいたので、例の質問をしてみます。

「ふむ……強い者、ですかな?」

「はい。誰だと思います?」

「それはもちろん、姫様、精霊様ですな」

「ふむふむ、あとの二人は?」

「……」

エイルがじっと長老を見つめます。

「そうですな。もちろん……」

「もちろん?」

「大樹の精霊様方だと、儂は思いますぞ?」

「あら、私たちですか?」

「それ以外考えられませんのう」

自慢の髭を撫でながら当然のようにそう言う長老に、エイルも満足げに頷きます。

「ふむ、長老は見る目ある」

「うふふ、さすが長老ですね」

「ところで長老? もしかして、外の話、聞いてた?」

「はて？　何のことやらですな……」

私たちは酒蔵で働いていた他の人々にも、同様の質問をして回りました。

するとセフィちゃん、主様、それから私たちという回答が得られました。全員です。他の名前をあげた方は皆無でした。

どうやらここの人々は見る目があるようです。非常に感心してしまいます。

私たちは密かに満足しつつ、酒蔵を後にして次の場所へ向かいました。


私たちの里よりもさらに北、霊峰フリズスの3合目辺りにて、ようやくグラムたちを見つけることができました。

グラム、ベルソル、エムブラの三人で魔物を相手に修行中だったようです。

この辺りになるとワイバーンの巣も近く、出現する魔物の強さ、数ともに里の周囲とは比較になりません。生半可な実力では、半日と生きてはいけないような危険地帯なのですが……グラムたちの周囲では無数の魔物たちが屍山血河《しざんけつが》を築いていました。

とはいえ、彼らにとっても容易い環境でないことは確かです。グラムはまだまだ元気そうですが、ベルソルとエムブラは息も絶え絶えといった様子なのですから。

ともかく、私たちは彼らにも恒例の質問をしました。

まずはグラムです。

『強き者であるか。無論、姫と主上であろうな。これは誰に聞いても変わるまい。我々が最も頼りにする大樹であるからにして、当然であろう。忌まわしき炎神どもを撃退できたのも、お二方あってのことだからな』

「では、あとの二人はどうです？」

『ふむ……まずはガーランド殿だな。次点で長老殿、といったところか』

「あら、面白味のない回答ですね？　自分を含めても良いのですよ？」

『さすがにそこまで傲慢にはなれんよ。ガーランド殿にはまだまだ及ばんのは、自分でも理解しているつもりだ。それに長老殿だがな……遠目に戦っているのをちらりと目にしただけだが、魔法の腕もさることながら、戦士としての技量も優れていると見た。何しろ教国の騎士どもの攻撃を悠々と回避していたからな。若い頃はさぞや名を馳《は》せていたのではないか？　正直、底が知れんよ』

「ふむ、確かに、長く生きているだけあって、技量もレベルも高いでしょうね」

「――グラム」

エイルが話の流れを断ち切るように、真剣な眼差しで問います。

『む？　エイル殿、何であろうか？』

「もっと面白い回答はないの？　もしくは、回答はそれで良いの……？」

まったくです。本当にそんな回答で良いのでしょうか？　グラムたちは主様の眷属でこそありませんが、同じ配下です。私たちからすれば弟妹のような存在。とすると、グラムたちからすれば私たちは姉です。

……何か大切なことを見落としていると、思わないのでしょうか？

『我にそんなこと期待されても……それに、それはどういう……？』

「やれやれ、どうやらグラムの目は節穴のようですね」

「真に強き者を忘れているとは……」

私とエイルは呆れてしまいました。やれやれです。


「最強……興味はないですわ。帰りたいですわ」

ベルソルはずいぶんと憔悴した様子で、そう言いました。

「だいぶお疲れのようですね。しかし、愚痴なら後で幾らでも聞いてあげますから、今は質問に答えるのです。さあ」

「ぅ、うう……。そうですわね、姫様、主様、ガーランド、長老ですわ」

「あら、グラムと同じですか」

この回答はいけませんね。エイルの眼差しも氷点下です。

「もっとユニークな回答を期待してたのに」

「期待外れですね」

「ちゃんと考えれば誰が強いか、わかるはず」

「考えるのも面倒くさいという、安易な思惑が透けていますね」

「う、うう……そこまで言われることですの？」

次です、次。


「姫様、主様、それからブリュンヒルドとエイルです」

エムブラは前の二人とは違って、自信満々に言い切りました。

ですが、あらかじめ用意していたように答えたのが、少々気になりますね。

「ふむ……迷いなく言い切りましたね？」

「忖度しなくても、いいよ……？」

「その回答は、エムブラの本心ですか？」

「別に、違っても怒らないし？」

怒りませんが教育的指導は覚悟して欲しいところです。

「い、いえ、僕の答えは変わりませんよ。本心から、そう思ってますから」

エムブラはにっこりと微笑みます。その笑顔がひきつっているように見えたのは、私の勘違いでしょう。

「そうですか、さすがはエムブラです」

「さすエム。どこかの愚兄と愚姉とは違う」

『ぐ、愚兄……』

「ぐ、愚姉……」


グラムたちに質問を終えた私たちは、里へ戻ってその後も質問を重ねました。

ドワーフたちや畑で働いていた皆にも質問し、里の強さランキングの精度を高めていったのです。

その結果、以下のようになりました。


不動の一位、セフィちゃん。

不動の二位、主様。

大差で三位、ガーランド。

僅差で四位、長老。

僅差で五位、ブリュンヒルド。

僅差で六位、エイル。

僅差で七位、グラム。


回答結果の恣意的な誘導……？

そんな事実はありません。

「——というようになりましたの」

『へ、へぇ……』

いつもの「おしごと」を終え、その後に畑仕事を手伝っていたセフィちゃんと主様たちが里の広場に帰って来たところで、私はお二方に今日の成果を発表しました。

「むふーっ!!　セフィがさいきょーだって、やっぱりみんなわかってる！」

精霊体姿の主様は、なぜか可愛らしいお顔をひきつらせていますが、セフィちゃんは調査の結果に大変満足そうな笑みを浮かべ、誇らしく胸を張っています。

『俺としてはセフィが一位なのも、忖度されたのを疑わざるを得ないんだが……』

「むむ!?　ユグ、それはききずてならない！　セフィがさいきょーなのは、ぶつりほーそくなのに！」

『どう考えても物理法則ではないだろ。いや、ガーランドとかと戦ったら、魔法使う間もなく普通に負けると思うんだが……』

「そんなことないし！　セフィならいっしゅんでまほーつかえるし！　びゅんって！」

なぜかセフィちゃん最強説に懐疑的な主様ですが、セフィちゃんの反論に渋々納得したように頷きます。

『ま、まあ、確かにセフィが魔法発動したら、大抵の奴に勝ち目はないわけだが』

「でしょ!?」

『それはさておき……』

主様がふよふよとこちらに向き直ります。

『なんで七位まで発表したの？　聞いてたのは四位までじゃ？』

「確かにそうですが……」

私は口ごもります。

四位までだと、私たちの名前が載らないのです。

とはいえ正直にそう言うと、まるで私たちが自分が選ばれなくて拗《す》ねているみたいではありませんか。

私が答えあぐねていると、エイルが口を開きます。

「四位以下は、みんな僅差だった。だからここは、ほぼ同率として名前を出してみた」

『へぇ、そうなのか』

主様は特に疑問もなく納得したようです。

でかしました、エイル。

『――いや……っていうかね？』

妹と視線で意思のやり取りをしていると、なぜか気の毒そうな声色で、主様が続けます。

『キミたち……暇なの？』

「「……」」

暇か暇ではないか、どちらかと言えば、暇でした。

無論、やるべきことはきちんとやっていますし、里の一員として手伝えることは手伝っています。それでも山の中での暮らしは、正直毎日暇なのです。娯楽に餓えているのです。刺激が欲しいのです。だってヴァルキリーですから。何か面白いことが、どこかに転がっていないものでしょうか？

『暇なのか……。んじゃあ、そろそろヴァナヘイムに行こうかと思ってるんだが、ブリュンヒルドたちも一緒に行くか？』

「ヴァナヘイムはねー、さばくのくにらしいよー？」

主と眷属間の繋がりがそうさせるのでしょうか？

何も言わずとも主様は私たちの想いを汲《く》んでくれました。

砂漠の国……植物の精霊としては過ごし難い気がしますが、遊び……ではなく、短期間向かうのならば、色々と刺激的なこともありそうです。

私とエイルは目を合わせ、頷き合いました。

「もちろん、お供させてください。セフィちゃんと主様に付き従うのが、私たちの使命ですので」

「二人と一緒なら、たとえ火の中水の中」

『……どうしよう、キミたちの忠誠心を信じられなくなってる俺がいるんだが』

この数日後、私たちは砂漠の国に旅立つことになったのです。

……ちなみに、私たちが調べた強さランキングをきっかけに、里の人々の間で誰が強いか、最強を決める武闘会が定期的に開かれることになるのですが、それはまた別のお話。

あとがき

雑草転生2巻をお手に取っていただき、誠にありがとうございます。

1巻に引き続きお読みいただいた方も、Ｗｅｂ版からお読みくださっている方も、とりあえず手に取ってあとがきを開いてみたという方も、ありがとうございます。

これを書いている時点で正確なページ数は把握していないのですが、おそらく前巻に引き続きだいぶ分厚い内容となっているかと思います。

ちょこちょことＷｅｂ版から内容を削りつつ、新規書き下ろし分を含めると、加筆部分が7～8万文字くらいあるんでしょうか？

いったい他の作家さんたちは、どうやって一巻分に綺麗に内容をまとめているのか……。スタイリッシュにストーリーを構成するスキルでも生えて来ないかと現実逃避アンド悪戦苦闘七転八倒しつつ、どうにか今巻もお届けできました。残念ながらスキルは身につきませんでしたが、様々な経験値がマスクデータとして蓄積されているはず……。レベルアップの日は近いです。

そんなわけで、Ｗｅｂ版とは違った展開となっており、ネット上でお読みくださった方も楽しめる内容になって……いたら良いなぁ。少なくとも主人公やセフィ、仲間たちの活躍が増えているのは間違いありません。

　ネタバレになってしまうかもしれませんので、詳しい内容には触れませんが、セフィが幼女らしからぬ頑張りを見せたところに、作者としてはセフィの成長を感じます。巨大な武器を振り回して無双する系の幼女ではありませんが、主人公や仲間たちと一緒に激闘を繰り広げ、精神的にも能力的にも成長したのではないでしょうか。

　さて。

　今巻は新キャラが非常に多いです。主人公含めて、新キャラじゃないのに新キャラみたいになっている奴らもいます。げに恐ろしきは進化という現象です。見た目変わるんですもの。

　作者も原稿を読み返していて思いました。もしかして、新キャラ多すぎじゃない？

　そんな多すぎる新キャラたちに素晴らしいキャラデザを与え、素敵なイラストを描いてくださった、にじまあるく先生に多大な感謝を。めっちゃ大変だったかと思います。作者は足を向けて寝られません。

　というわけで、すでに買ったよという方も、書店でとりあえず手に取ってみたという方も、本書をパラパラと捲《めく》って（にじまあるく先生の）苦労の結晶である美麗なイラストをご覧になってください。

それから担当の佐藤様、今巻でも細かい部分での指摘やアイデア出しなど、色々な面でお世話になりました。Ｗｅｂ版とは違う今巻の展開も、おそらく一人で考えていたのでは書くことはできなかったでしょう。新しい視点で新たな展開を書けたことも、一人の物書きとして非常に楽しい経験でした。ありがとうございました。

他、校正さんやアース・スターノベル様、本作に関わってくださった全ての方々、何より読んでくださった読者の皆さま方に最大限の感謝を捧げます。

少しでも楽しんでいただけたら、それに勝る喜びはありません。

――というわけで、またお会いできる日を願って。

ゴー君たちの新しい姿、
ヴァルキリーの2人も
デザイン楽しかったです!!
エルフ族のメンズの
活躍が挿絵で
描けなかったので
あとがきで!!!
次巻も楽しみにしてます!!!
nijiMaarc

世界へ!
ヘルモード
~やり込み好きのゲーマーは
廃設定の異世界で無双する~
二度転生した少年は
Sランク冒険者として
平穏に過ごす
~前世が賢者で英雄だったボクは
来世では地味に生きる~
贅沢三昧したいのです!
転生したのに貧乏なんて
許せないので、
魔法で領地改革
領民0人スタートの
辺境領主様
戦国小町苦労譚
毎月15日刊行!!
https://www.es-novel.jp/

ようこそ異
反逆のソウルイーター
～弱者は不要といわれて剣聖（父）に追放されました～
転生した大聖女は、聖女であることをひた隠す
冒険者になりたいと都に出て行った娘がSランクになってた
即死チートが最強すぎて、異世界のやつらがまるで相手にならないんですが。
俺は全てを【パリイ】する
～逆勘違いの世界最強は冒険者になりたい～
アース・スターノベル
EARTH STAR NOVEL

EARTH STAR NOVEL

雑草転生 2
～エルフの里を守り抜きます～

発行 ―――――― 2021年10月15日　初版第1刷発行

著者 ―――――― 天然水珈琲

イラストレーター ―――― にじまあるく

装丁デザイン ―――― 村田慧太朗（VOLARE inc.）

発行者 ―――――― 幕内和博

編集 ―――――― 佐藤大祐

発行所 ―――――― 株式会社アース・スター エンターテイメント
〒141-0021　東京都品川区上大崎3-1-1
目黒セントラルスクエア　7F
TEL：03-5561-7630
FAX：03-5561-7632
https://www.es-novel.jp/

印刷・製本 ―――――― 中央精版印刷株式会社

ISBN 978-4-8030-1571-3